Chère lectrice,

En ce beau mois de mai, je suis particulièrement heureuse de vous emmener à Londres, sur les pas d'Isobel et du cheikh Tariq (*Un si troublant tête-à-tête* de Sharon Kendrick, Azur n° 3472). Isobel se croit immunisée contre le charme légendaire de son patron, mais lorsqu'ils sont amenés à partager l'intimité du petit cottage qu'elle possède à la campagne, elle devine que rien ne sera jamais plus comme avant. Et si cette jeune Anglaise, aussi impétueuse qu'indépendante, pouvait conquérir le cœur du plus arrogant des cheikhs ?

Et pour celles d'entre vous qui ne jurent que par le soleil méditerranéen, le deuxième tome de votre merveilleuse saga, « La fierté des Corretti », vous fera découvrir le cadre enchanteur de la Sicile. Dans *La fiancée de Luca Corretti*, Sarah Morgan a imaginé des héros hors du commun, vibrant de vie et de passion. La belle Taylor Carmichael et le sulfureux Luca Corretti ont tous deux d'excellentes raisons de se prêter au jeu des fausses fiançailles, mais ce qu'ils ne pouvaient pas prévoir, c'est que de cette troublante comédie naîtrait un bouleversant amour…

Je vous souhaite une excellente lecture !

La responsable de collection

Un lien si secret

LYNN RAYE HARRIS

Un lien si secret

Collection : Azur

Cet ouvrage a été publié en langue anglaise
sous le titre :
A GAME WITH ONE WINNER

Traduction française de
CHRISTINE MOTTI

HARLEQUIN®
est une marque déposée par le Groupe Harlequin

Azur® est une marque déposée par Harlequin S.A.

ÉDITIONS HARLEQUIN

83-85, boulevard Vincent Auriol, 75646 PARIS CEDEX 13.
Service Lectrices — Tél. : 01 45 82 47 47
www.harlequin.fr

ISBN 978-2-2803-0682-9— ISSN 0993-4448

1.

« Elle était ici… »

Roman en était certain, même s'il ne l'avait pas encore aperçue. Debout à son côté, Veronica émit un soupir de frustration. Il lui adressa un bref coup d'œil avant de porter son attention ailleurs. Lorsqu'il sentit qu'elle glissait son bras sous le sien, il résista à l'envie de la repousser. Il avait demandé à cette jeune actrice de l'accompagner ce soir parce qu'il savait que Caroline Sullivan-Wells serait présente. Une décision ridicule, puisque Caroline n'éprouverait pas le moindre soupçon de jalousie en le voyant au bras d'une femme. Cinq ans auparavant, elle s'était montrée très claire : elle ne l'aimait pas.

Pire encore : elle ne l'avait jamais aimé.

A cette époque, ce rejet l'avait profondément affecté ; aujourd'hui, il ne ressentait plus rien sinon une froide détermination. Il était un homme complètement différent de celui qui avait quitté New York voilà cinq ans.

Un homme devenu riche. Un homme impitoyable

Un homme poursuivant un seul objectif.

Dans moins d'un mois, il serait propriétaire de la luxueuse chaîne de magasins Sullivan, fondée par la famille de Caroline. Enfin, tous ses efforts seraient couronnés de succès. Plus qu'une nécessité économique, cette acquisition avait pour lui une valeur hautement symbolique…

Alors qu'il travaillait au service de Frank Sullivan, il avait commis l'impardonnable erreur de tomber amoureux de sa fille. A vouloir trop s'approcher du soleil, il s'était brûlé les ailes. Brutalement congédié, il avait dû quitter les USA à la fin de son visa de travail sans avoir pu concrétiser son rêve : fournir une vie meilleure à sa famille demeurée en Russie.

Mais à présent, il était de retour. Et les Sullivan n'auraient guère d'autre choix que de se soumettre.

Comme mue par une force secrète, la foule s'éclaircit et Caroline apparut à ses yeux.

Les poings serrés, il la contempla longuement. Elle était toujours aussi belle avec ses longs cheveux dorés et son teint clair. Pas de doute, elle produisait encore sur lui un effet dévastateur ; pourtant, le désir qu'elle lui avait inspiré autrefois s'était mué en haine.

Soudain, comme alertée par sa présence, Caroline tourna la tête dans sa direction, l'air contrarié, comme si des intrus s'étaient infiltrés au milieu de son cercle d'amis. Lorsque son regard croisa le sien, elle porta une main à son cœur. Ils se dévisagèrent pendant de longues secondes. Ce fut Caroline qui détourna les yeux la première. Après avoir adressé quelques mots à la personne qui l'accompagnait, elle se glissa derrière une tenture et quitta la salle.

Frustré par cette disparition soudaine, Roman étouffa un juron. Au lieu de triompher, il vivait la fuite de Caroline comme un affront, un rejet. Il avait l'impression que son monde s'écroulait, comme autrefois. Il fallait à tout prix qu'il se ressaisisse : aujourd'hui, il était le maître du jeu ; il devait se comporter en conquérant, pas en perdant.

Hélas, il ne put empêcher le passé de remonter à la surface, ravivant les terribles blessures qui lui avaient été infligées, cette douleur lancinante qui ne l'avait pas quitté pendant de longues années.

— Chéri, minauda Veronica, dont il avait presque oublié l'existence, pourrais-tu aller me chercher une coupe de champagne ?

Roman lui adressa un regard agacé. Cette jeune actrice était probablement habituée à ce qu'on cède à tous ses caprices. Ce soir, elle allait être déçue…

— Je n'irai pas, non. Profite de ta soirée et, lorsque tu voudras partir, appelle un taxi.

Il sortit un billet de cent dollars de son portefeuille et le lui tendit. Interdite, Veronica hésita sur la conduite à tenir ; puis elle comprit sans doute que protester ne ferait que l'agacer davantage. Elle prit l'argent et le rangea dans sa minuscule pochette. Au moment où il allait se détourner d'elle, elle posa une main sur son bras.

— Tu... tu me laisses tomber ?

Toute sa confiance en elle s'était évaporée, laissant place à une grande agitation. Roman ne ressentit pas la moindre pitié pour Veronica. Il savait que dès qu'il aurait tourné les talons, elle serait entourée d'une nuée d'admirateurs. Galamment, il prit sa main dans la sienne et déposa un baiser aérien sur ses doigts crispés.

— Ne le prends pas personnellement, *maya krasavitsa*. Tu n'as rien à te reprocher. Je ne te mérite pas, c'est tout.

Sur ces mots, il l'abandonna pour partir à la recherche d'une autre femme. Une femme qui ne lui échapperait pas, cette fois.

Caroline s'engouffra dans l'ascenseur. Une fois au rez-de-chaussée, elle sortit du bâtiment. Son cœur battait la chamade et une douleur insidieuse martelait ses tempes. Les bras serrés autour de son corps, elle respirait par saccades. Chassant les larmes qui perlaient à ses paupières, elle demanda au portier de lui commander un taxi. Puis elle se mit à arpenter nerveusement le trottoir.

Roman... Pourquoi avait-il fallu qu'il se montre ce soir ? Caroline savait par la presse qu'il était revenu en Amérique ; elle connaissait les buts qu'il poursuivait, mais elle ne s'attendait pas à le croiser dans une soirée mondaine.

Un seul regard avait suffi pour qu'elle chavire de nouveau, comme autrefois. Pourtant, cinq ans s'étaient écoulés depuis leur dernière rencontre.

— Caroline, entendit-elle dans son dos.

Elle se figea instantanément et ferma les yeux. Cette voix, reconnaissable entre toutes, qui prononçait son prénom… Ces lèvres dont elle se rappelait la saveur inégalable…

Chassant son trouble, elle prit une profonde inspiration pour se donner le courage de supporter cette confrontation. A l'époque, elle n'était qu'une gamine ; aujourd'hui n'était-elle pas devenue une femme accomplie, déterminée ? Elle avait déjà sauvé le groupe Sullivan et elle était bien décidée à se battre une nouvelle fois, fût-ce contre Roman Kazarov.

Affichant un sourire glacial, elle se tourna vers lui.

— Monsieur Kazarov, dit-elle d'une voix un peu trop aiguë.

Malgré tous ses efforts pour paraître parfaitement à son aise, elle frémit sous le regard bleu acier de Roman. Il était toujours aussi séduisant, avec ses traits ciselés, ses cheveux noirs indisciplinés et sa haute stature tout en muscles.

Deux ans plus tôt, au petit déjeuner, son mari lui avait montré un article qui parlait de lui. Elle avait éprouvé un choc terrible, au point qu'elle en avait renversé son café. Jon lui avait aussitôt pris la main et l'avait serrée dans la sienne. Il était le seul à savoir à quel point elle serait accablée en ayant des nouvelles de Roman Kazarov — surtout en le voyant apparaître ainsi sur la scène financière internationale. Par la suite, elle avait observé son ascension avec anxiété, convaincue au fond d'elle-même qu'il reviendrait un jour. Pour elle…

— Est-ce ainsi que tu accueilles un vieil ami, Caroline ? s'exclama-t-il. Alors que nous représentions tant l'un pour l'autre…

— Nous n'étions pas… pas des amis, rétorqua-t-elle en s'efforçant de ne pas bredouiller.

Mais le souvenir de leur dernière rencontre s'imposait à elle. Ce soir-là, Roman lui avait déclaré son amour ; elle l'avait rejeté, mentant sur ses propres sentiments. Alors qu'elle brûlait de lui dire qu'elle l'aimait aussi, elle avait brutalement mis un terme à leur relation. Caroline se rappela la douleur qu'elle avait lue dans ses yeux et l'effort surhumain qu'elle avait dû fournir pour demeurer de marbre.

De cette douleur, il ne restait rien, visiblement : Roman paraissait parfaitement calme, indifférent, alors qu'elle vivait présentement l'un des pires tourments de son existence.

Pourquoi se sentait-elle aussi mal ? Elle n'avait fait que son devoir, après tout. Aujourd'hui, dans le même contexte, elle prendrait exactement la même décision, quel qu'en soit le coût à titre personnel. Qu'importait le bonheur de deux individus au regard du bien-être des centaines d'employés que comptaient les magasins Sullivan ?

— Disons alors que nous sommes de vieilles connaissances, déclara Roman avec un sourire ironique.

Lorsque son regard glissa de son visage à ses épaules nues puis à ses seins que dévoilait en partie sa robe de soie légère, Caroline ne put réprimer un frisson. Elle se sentait affreusement vulnérable.

— Ou… de vieux *amants*, reprit-il en la fixant avec intensité.

Elle se détourna pour guetter l'arrivée de son taxi. Hélas, le trafic était de plus en plus dense. L'attente risquait d'être longue.

— Ce souvenir te dérange ? demanda Roman. Aurais-tu occulté ce qui s'est passé entre nous autrefois ?

— Certainement pas ! protesta-t-elle avec véhémence, avant de le regretter. Mais tout ceci appartient au passé.

Comment aurait-elle pu oublier la passion qu'elle avait partagée avec cet homme alors qu'il ne se passait pas un jour sans qu'elle y pense ? Soudain, un sentiment de panique l'étreignit, qu'elle parvint à vaincre en se concentrant sur sa respiration.

— Je suis désolé, pour ton mari, reprit Roman.

— Merci, répondit-elle d'un ton très bas.

Pauvre Jon… Si quelqu'un avait mérité d'être heureux, c'était bien lui. Son mari l'avait quittée un an plus tôt après de longs mois d'agonie. La leucémie avait fini par l'emporter malgré les nombreux traitements qui avaient été tentés. Quelle injustice !

Caroline baissa la tête et inspira profondément pour refouler les larmes qui menaçaient de se répandre sur ses joues. Jon avait été son meilleur ami, son partenaire, et lui manquait encore terriblement. Elle se remémorait le courage dont il avait fait preuve. Cette fois, c'était son tour de se montrer forte. Si le combat contre une maladie incurable était voué à l'échec, elle avait bon espoir de remporter celui qui l'opposerait à Roman.

Forte de cette certitude, elle se tourna vers lui pour le défier du regard.

— Ça ne marchera pas, lui dit-elle d'un ton sans réplique.

— Quoi donc, ma chérie ?

Un frisson glacé la secoua. Ce timbre de voix, cet accent, ces mots tendres qui l'avaient tant émue autrefois étaient aujourd'hui teintés d'ironie. Elle percevait même une menace derrière ce ton caressant.

La métamorphose la stupéfiait. Ainsi, il ne restait rien de l'homme romantique qu'elle avait aimé. Aujourd'hui, il manifestait une arrogance détestable. La donne avait changé : Roman ne lui accorderait aucune faveur ; il se montrerait inflexible.

Surtout s'il découvrait son secret…

— Je sais ce que tu veux, Roman, et je suis prête à me battre.

Un rire salua cette remarque.

— Ravi de l'entendre ! Seulement voilà, tu ne gagneras pas. Pas cette fois.

Il plissa les yeux comme pour mieux l'étudier, puis il reprit :

— C'est étrange. Je n'aurais jamais cru que ton père te confierait les rênes du groupe de son vivant.

— Les gens changent, répliqua-t-elle d'un ton glacial.

Le vertige s'empara d'elle, comme chaque fois qu'on évoquait son père. Elle l'imagina emmitouflé dans des couvertures, assis dans ce fauteuil qu'il ne quittait plus, le regard vague. Certains jours, il la reconnaissait, d'autres pas.

— D'après mon expérience, les gens ne changent pas, contra Roman. Leur nature profonde demeure. Parfois, ils cherchent à faire croire qu'ils ont changé, pour se protéger, mais ce n'est qu'un leurre.

— Tu ne dois pas connaître grand monde ! Nous changeons tous.

— Non, c'est faux. On ne peut pas greffer un cœur à une personne qui en est dépourvue.

Caroline rougit. Pas de doute, il parlait d'elle et de son attitude ce fameux soir où elle avait rejeté son amour. Elle aurait aimé lui avouer la vérité, lui dire qu'il se trompait, mais à quoi bon ? Le mal était fait désormais.

— Parfois… les apparences sont trompeuses, se contenta-t-elle de déclarer. Il ne faut pas toujours s'y fier.

— A qui le dis-tu !

Elle se mordit la lèvre en comprenant l'erreur qu'elle venait de commettre en prononçant ces paroles. Elle eut le sentiment de rapetisser sous le regard glacial de Roman. Elle se força à paraître impassible.

— Quoi qu'il en soit, papa a revu ses priorités. Il se plaît beaucoup dans son domaine à la campagne. Il a travaillé dur toute sa vie et mérité de se reposer.

La gorge serrée, elle se détourna de Roman pour reporter son attention sur la circulation, espérant voir arriver son taxi. D'ordinaire, elle parvenait à refouler ses émotions, mais évoquer son père devant cet homme qu'elle avait tant aimé était au-dessus de ses forces.

— J'ignorais que tu avais le projet de reprendre les rênes de l'empire Sullivan, dit Roman d'un air narquois. Je ne t'aurais jamais imaginée dans ce rôle.

Caroline pivota sur ses talons pour lui faire face.

— Ah oui ? Tu pensais que je passerais ma vie à me faire les ongles ou à arpenter les boutiques ? Cela n'a jamais été mon intention.

La conception de ses parents, en revanche, avait toujours été diamétralement opposée à la sienne. Chez les Sullivan, les femmes n'étaient pas censées travailler. On attendait d'elles qu'elles fassent un beau mariage et se consacrent à des œuvres de charité. Mais Caroline s'était montrée tenace et persuasive. Malgré les protestations de sa mère, elle avait fini par convaincre son père de la prendre en stage pour l'initier aux rudiments des affaires. Elle savait toutefois que son avenir était tout tracé : c'était Jon qui devait reprendre les rênes de la société lorsque son père partirait à la retraite. Une échéance que ce dernier avait espéré repousser encore et encore; malheureusement, la vie en avait décidé autrement. Et aujourd'hui, Jon étant décédé, elle se retrouvait à la tête du groupe. Mais elle serait à la hauteur de la tâche. Il le fallait.

— Je sais que tu as traversé une année affreusement difficile, fit Roman avec douceur.

— C'est le moins que l'on puisse dire…

De nouveau submergée par l'émotion, Caroline se ressaisit. Elle n'avait pas tout perdu : elle avait son fils. Pour lui, elle était prête à tout. Un jour, il hériterait de la fortune familiale. Elle avait cru qu'elle ne surmonterait pas les épreuves auxquelles elle avait été confrontée, mais elle y était parvenue. Pourtant, la vie ne l'avait pas épargnée ces dernières années.

— Le groupe Sullivan est dans une situation désastreuse, insista Roman, et tu le sais. C'est d'ailleurs la raison de ma présence. J'interviens uniquement auprès d'entreprises en difficulté, lorsque les profits sont réduits à une peau de chagrin et que, chaque mois, il devient de plus en plus difficile de payer employés et fournisseurs.

Caroline se força à rire, comme si rien ne l'affectait, comme si tout allait bien dans le meilleur des mondes.

— Oh ! Roman ! Je sais que tu te débrouilles très bien en affaires, mais tes informations ne sont pas toujours exactes. Il se trouve que, cette fois-ci, tu te trompes. Sur toute la ligne. L'empire Sullivan ne t'appartiendra jamais.

D'un geste de la main, elle l'invita à contempler la Cinquième Avenue, le flot du trafic, les hordes de touristes qui se promenaient.

— Regarde autour de toi. Les temps sont durs, mais cette ville est vivante. Tous ces gens travaillent ou prennent du bon temps. Ce sont tous des consommateurs en puissance. Nos ventes ont augmenté de vingt pour cent ce trimestre et nous n'allons pas nous arrêter là.

Elle devait à tout prix s'en convaincre. Son père avait pris de mauvaises décisions juste avant qu'on se rende compte de la gravité de son état mental. Depuis, elle se battait pour en réparer les conséquences. Ce ne serait pas facile, rien n'était encore résolu, mais elle ne renoncerait pas.

Roman sourit d'un air suffisant, comme si ce qu'il venait d'entendre était totalement ridicule.

— Vingt pour cent *dans un seul magasin*, Caroline. La plupart des autres sont en difficulté. Tu aurais dû te débarrasser des moins rentables, mais tu ne l'as pas fait. Aujourd'hui, tu en paies le prix fort.

Il avança de quelques pas, réduisant l'espace qui les séparait. Aussitôt, Caroline se raidit. Cette proximité la dérangeait, mais il était hors de question de montrer le moindre signe de fragilité à cet homme. Par ailleurs, elle devait assumer jusqu'au bout le choix qu'elle avait fait cinq ans auparavant.

— Merci pour ce conseil que, soit dit en passant, je ne te demandais pas, dit-elle en contenant sa colère.

Elle n'avait pas attendu Roman pour envisager de vendre certains magasins. Hélas, lorsqu'elle avait essayé, personne ne s'était porté acquéreur. Il aurait fallu prendre cette décision deux ans plus tôt, à une époque où, malheureusement, elle n'en avait pas encore le pouvoir. Lorsqu'elle avait pris les rênes du groupe, la situation économique s'était dégradée, faisant fuir les repreneurs éventuels.

— Je me suis renseigné et je sais que la fin de l'empire Sullivan est proche. Si tu veux qu'il survive, il faut que tu coopères avec moi.

Caroline leva le menton d'un air de défi. Depuis des années, elle se battait contre vents et marée et sa détermination était féroce. L'époque où, jeune et naïve, elle avait profondément aimé cet homme était révolue.

— Pourquoi ferais-je une chose pareille ? Si je te cédais cette chaîne de magasins qui appartient à ma famille depuis cinq générations, ce serait de la folie.

A ce moment précis, le taxi tant attendu apparut comme par enchantement. Le chauffeur se gara à sa hauteur et descendit pour lui ouvrir la porte.

— Votre voiture, madame.

Sans un regard en arrière, elle monta. Alors qu'elle s'apprêtait à indiquer sa destination au chauffeur, Roman s'engouffra à côté d'elle.

— C'est mon taxi ! protesta Caroline.

— Je vais dans la même direction que toi, affirma-t-il en refermant la portière.

Le pouls compulsif, Caroline se força à respirer calmement. Il était hors de question que Roman l'accompagne jusqu'à sa porte. Il ne fallait pas qu'il découvre où elle vivait. Si, pour une raison ou une autre, il voyait Ryan…

Elle indiqua alors au chauffeur une adresse dans Greenwich Village, proche de son domicile. Une fois à destination, elle attendrait que le taxi ait disparu pour rentrer chez elle.

— Pourquoi as-tu dit que nous allions dans la même direction ?

— Parce que je ne suis pas pressé ! Même si tu étais allée à Brooklyn, j'aurais pu repartir vers Manhattan ensuite.

— C'est une perte de temps…

— Je ne trouve pas. Au moins, je t'ai pour moi seul.

Le cœur de Caroline fit une embardée. Autrefois, elle aurait trouvé fantastique de se retrouver seule avec Roman pour une longue promenade en voiture. Elle se serait blottie dans ses bras et lui aurait tendu les lèvres. A cette pensée, le rouge lui monta aux joues. Combien de baisers clandestins avaient-ils échangés dans des taxis comme celui-ci ?

Chassant cette pensée, elle se rencogna le plus loin possible de Roman et se mit à contempler les promeneurs sur le trottoir. La silhouette d'une jeune femme habillée tout en jaune attira son attention. Elle donnait le bras à l'homme qui l'accompagnait. Soudain, Caroline la vit s'esclaffer. Un soupçon d'envie la traversa. A quand remontait la dernière fois où elle avait éclaté de rire ainsi ?

— Comme c'est romantique ! intervint Roman avec cynisme.

Elle se mordit la lèvre pour ne pas lui avouer à quel point elle était désolée de lui avoir fait du mal, cinq ans plus tôt. Mais ils s'étaient tout dit, à l'époque. Il était trop tard désormais, et elle n'était plus la même personne aujourd'hui.

— Que me veux-tu, Roman ? parvint-elle à demander avec le plus grand calme.

— Tu sais très bien ce que je veux, ce que je suis venu chercher.

Elle se tourna vers lui et faillit se trouver mal en affrontant son regard noir. Le pouvoir de séduction de cet homme était toujours aussi intact.

— Tu perds ton temps. Le groupe Sullivan n'est pas à vendre.

Un long silence suivit, puis Roman eut un petit rire.

— Tu vendras, déclara-t-il. Tu le feras parce que tu ne supporteras pas l'idée de voir l'œuvre de ta famille réduite à néant. Si tu t'entêtes, tes fournisseurs finiront par te refuser tout crédit. Tes magasins fermeront les uns après les autres, faute de marchandises. Sullivan a toujours commercialisé des produits de luxe. Tes clients n'apprécieraient pas que tu leur proposes du second choix. Ils sont habitués au caviar russe, à la maroquinerie de luxe et aux vêtements de grands couturiers.

Un frisson glacé la secoua. Les paroles de Roman la blessaient profondément par leur justesse. Il avait raison : la situation était gravissime. Depuis des mois, elle cherchait le moyen de réduire les coûts sans compromettre la qualité des produits commercialisés. Les rayons « alimentation » étaient les plus déficitaires de tous et, comme le suggérait Roman, elle avait déjà envisagé de les supprimer de certains de ses magasins.

Elle aurait aimé en discuter avec son père ou avec Jon pour leur demander leur avis ; hélas, ils n'étaient plus de ce monde — son père vivait toujours mais dans un monde accessible à lui seul. Inutile de se leurrer : désormais toutes les décisions, aussi dures à prendre soient-elles, lui appartenaient. Mais elle saurait faire front.

Pour Ryan.

La famille était ce qui comptait le plus à ses yeux, et c'était tout ce qui lui restait.

— Je ne veux pas parler de ça avec toi, s'obstina-t-elle. Le groupe Sullivan ne t'appartient pas et ne t'appartiendra jamais.

— Il y a une chose que tu ne comprends pas, *solnyshko* : tu ne pourras pas t'opposer à la vente. Elle est inévitable.

— Rien ne l'est. Et j'ai l'intention de me battre jusqu'au bout. Tu ne gagneras pas.

Roman lui adressa un sourire venimeux qui lui fit froid dans le dos.

— Tu te trompes. Cette fois, les choses se passeront comme je l'entends.

— Que veux-tu dire ? Que ton but est de te venger des affronts que tu as subis ? Notre brève liaison t'aurait-elle laissé un goût si amer ?

— Rassure-toi, je m'en suis remis. Mes sentiments n'étaient pas aussi forts que je le croyais. J'étais épris de toi, certes, mais ce n'était pas de l'amour.

Caroline blêmit, comme si elle avait reçu une balle en plein cœur. Elle pensait avoir partagé bien plus qu'une aventure avec Roman. Et elle apprenait qu'il ne l'avait jamais aimée…

— Alors pourquoi es-tu ici ? demanda-t-elle dans un souffle. Pourquoi le groupe Sullivan t'intéresse-t-il ? Tu possèdes des enseignes bien plus prestigieuses. Tu n'as pas besoin de la mienne.

— C’est vrai, je n’en ai pas besoin, admit-il avec un sourire moqueur.

Il se pencha vers elle, menaçant. Caroline retint son souffle, soudain effrayée par la lueur qui brillait dans ses yeux.

— Je n’en ai pas besoin, mais je la *veux*. Et je te veux aussi.

2.

— Pourquoi ? demanda Caroline d'une voix un peu éraillée.

— Peut-être parce que notre histoire s'est achevée un peu trop brutalement à mon goût. Ou alors parce que je souhaite t'humilier autant que tu m'as humilié autrefois.

— Tu n'es pas ce genre d'homme, répliqua-t-elle en secouant la tête. Jamais tu ne me forcerais à coucher avec toi.

Une colère sourde s'empara de Roman, tandis que des souvenirs amers remontaient à la surface.

— Tu n'as aucune idée du genre d'homme que je suis, *solnyshko*. Tu ne l'as jamais su.

La détresse qu'il lut dans les yeux de Caroline faillit l'émouvoir, puis il se rappela la manière impitoyable qu'elle avait employée pour le chasser de sa vie.

Il avait longtemps cru en son innocence, jusqu'à ce qu'il comprenne qu'il s'agissait d'une façade. Il avait commis l'erreur de penser que, puisqu'il était son tout premier amant, elle éprouvait pour lui des sentiments profonds. Les mots qu'elle lui avait adressés avaient été d'autant plus durs à entendre : « Je ne t'aime pas, Roman. Comment pourrait-il en être autrement ? Je suis une Sullivan, et toi un simple employé de mon père. »

Il n'était pas assez bien pour Caroline Sullivan-Wells et sa noble famille. En occultant ce détail, il en avait payé le prix fort — et ses proches aussi. Lorsqu'il avait été contraint de quitter les Etats-Unis et de rentrer en Russie sans emploi et sans argent, il avait perdu bien plus qu'une femme dont il avait cru être profondément épris.

— J'ai un enfant, Roman. Je n'ai pas de temps à consacrer à qui que ce soit, à part lui, reprit Caroline.

Une profonde amertume le prit à la gorge. Elle avait un enfant. Un petit garçon conçu seulement quelques mois après leur rupture avec Jon Wells, un homme qu'elle avait fini par épouser. Roman ne souffrait plus d'avoir été rejeté par Caroline, mais une terrible rancœur l'habitait encore lorsqu'il songeait à ce qu'avait été sa vie après son départ des Etats-Unis.

D'un ton lourd de ressentiment, il lâcha :

— Qui te parle d'une relation ?

Une lueur de panique perça dans les yeux de son ex.

— Je ne coucherai pas avec toi. Agis comme bon te semblera à mon égard, à l'égard du groupe, mais ne compte pas obtenir quoi que ce soit de ma part.

Un long silence pesa entre eux après cette dernière repartie. Puis, saisi d'une impulsion subite, Roman effleura du dos de la main la joue de la jeune femme. Malgré sa surprise, elle parvint à ne pas tressaillir. Mais il n'était pas dupe : ce geste pourtant anodin l'avait troublée.

— Que crois-tu que je souhaite obtenir de toi ? demanda-t-il d'un ton caressant.

Caroline peinait à respirer. Le contact des doigts de Roman sur sa peau avait ravivé en elle une flamme qu'elle pensait éteinte. Tout son corps lui faisait mal, ses membres tremblaient.

Que lui arrivait-il donc ? Pourquoi cet homme déclenchait-il en elle une telle réaction ? Certes, elle n'avait pas fait l'amour depuis des lustres, mais il était impossible qu'elle ressente un tel manque. D'autres hommes avaient cherché à l'approcher sans pour autant parvenir à la séduire. Après le décès de Jon, elle avait accepté de sortir deux ou trois fois avec des courtisans, plus pour faire plaisir à ses proches que par réelle envie. Elle n'avait ressenti aucune attirance pour eux. Lorsqu'ils avaient tenté de l'embrasser, elle les avait repoussés, puis avait refusé de les revoir.

Elle en avait conclu qu'elle était faite pour la solitude. Seul Ryan comptait à ses yeux désormais.

Mais aujourd'hui, elle découvrait que son corps était encore capable d'éprouver du désir… Au pire moment et avec le pire des hommes.

— Pourquoi fais-tu cela ? finit-elle par lui demander dans un murmure.

Le regard acier de Roman ne la quittait pas, intense, indéchiffrable.

— Pouvons-nous toujours expliquer nos actes ?

Elle l'observa attentivement. Jamais elle n'avait lu dans ses yeux autant de dureté. Se pouvait-il qu'il ait changé *à cause d'elle* ?

— Je suis désolée, murmura-t-elle, assaillie par la culpabilité. Je ne voulais pas te blesser.

— Me blesser ? reprit-il en riant. *Niet*, ma chérie. Tu ne m'as pas blessé. Ma fierté en a pris un coup, peut-être, mais c'est tout. Je me suis vite remis, je t'assure.

La gorge de Caroline se serra douloureusement. Après leur rupture, elle avait été accablée de chagrin, mais elle avait porté courageusement sa croix. Seul Jon avait su ce qu'il lui en avait coûté de l'épouser.

Les yeux baissés sur la pochette qu'elle serrait entre ses mains, elle replongea dans le passé. Elle avait pris la décision qui s'imposait en épousant Jon. Elle était la seule à pouvoir résoudre la situation. Lorsque les parents de Jon avaient imposé cette union en menaçant de vendre leurs parts du groupe Sullivan à un rival partisan de se débarrasser des magasins et du personnel, elle n'avait pas eu d'autre choix que d'accepter. Elle avait fait son devoir en sauvant l'héritage de ses parents et des milliers d'emplois.

Elle en avait tiré beaucoup de fierté. Les regrets n'étaient pas de mise. Il était hors de question qu'elle s'abaisse devant l'homme qui la dévisageait avec un mélange de colère… et de désir ! Comment pouvait-il éprouver encore une attirance pour elle après tout ce qui s'était passé ? Après les horribles choses qu'elle lui avait dites pour le faire fuir ?

Assise près de lui dans ce taxi, elle était stupéfaite de découvrir que le temps n'avait en rien altéré la force des sentiments qu'elle vouait à Roman. Oui, elle le désirait. Elle avait envie de lui offrir ses lèvres, de la pression de sa bouche contre la sienne. Jamais elle ne s'était sentie aussi vivante que lorsqu'il l'embrassait.

Mais cette époque était révolue. Jeune et naïve, elle ignorait alors que la vie pouvait réserver de mauvaises surprises. Aujourd'hui, elle savait. Si elle succombait à Roman, leur rupture serait d'autant plus douloureuse lorsqu'il faudrait mettre un terme à leur liaison.

— Nous n'étions pas faits l'un pour l'autre, lui dit-elle. Tu le sais aussi bien que moi.

— Tu veux dire que tu étais trop bien pour moi ! Caroline Sullivan méritait bien mieux que le fils d'un ouvrier agricole russe. Le sang qui coule dans mes veines aurait souillé ta noble lignée.

— J'étais jeune, dit-elle, tout en se rappelant les propos honteux qu'elle lui avait tenus ce terrible soir pour le repousser. Et mes paroles… n'ont pas été exactement celles-ci.

— C'était tout comme ! J'ai très bien compris où tu voulais en venir.

Caroline prit une profonde inspiration pour chasser la douleur que ces réminiscences lui infligeaient.

— Je sais que tu ne comprends pas, dit-elle dans un souffle, mais je n'avais pas le choix.

Roman lui jeta un regard effaré.

— Comment oses-tu dire une chose pareille ? Qu'essaies-tu de me faire croire ?

Avant qu'elle ne puisse répondre, le chauffeur de taxi s'arrêta à l'adresse qu'elle lui avait indiquée. Un peu surprise, elle détailla la devanture de la maison devant laquelle ils se trouvaient, puis elle se rappela le subterfuge qu'elle avait imaginé. Soulagée de voir son calvaire s'achever, elle se tourna vers Roman :

— Bonne nuit, lui dit-elle.

— Je t'accompagne jusqu'à ta porte.

— Non ! Il n'en est pas question.

— Alors, j'attendrai que tu sois rentrée chez toi.

— C'est… C'est inutile. Je suis en sécurité dans ce quartier. Il m'arrive de sortir me promener à des heures bien plus tardives, juste pour m'aérer la tête.

Caroline s'agitait nerveusement, en proie à la panique. Elle ne voulait pas que Roman s'attarde dans cette rue et voie que ce n'était pas la sienne. Elle était prise au piège. Au regard de Roman, elle comprit qu'il commençait à s'interroger sur son étrange attitude.

— Je ne suis pas grossier au point d'abandonner une jeune femme dans une rue obscure. J'insiste.

Il se pencha pour lui ouvrir la portière et, dans son mouvement, il se rapprocha d'elle. Sans réfléchir à la portée de ses actes, elle posa les lèvres dans son cou.

Caroline se rendit compte de la portée de son geste instinctif lorsque Roman s'écarta brusquement. Seigneur ! Elle ne savait plus ce qu'elle faisait. Il fallait seulement qu'elle trouve une issue à cette situation avant qu'il ne découvre qu'elle n'habitait pas ici.

— Qu'est-ce qui te prend ? Voilà cinq minutes, tu prétendais que tu ne coucherais pas avec moi. Que me vaut ce revirement de situation ?

Totalement chavirée, ne sachant plus comment se sortir de ce guêpier, elle murmura :

— Je me sens seule. Il y a longtemps… que je n'ai pas serré un homme dans mes bras.

— Vraiment ? Comme c'est touchant !

Elle voulut se rapprocher de lui pour l'étreindre, mais il l'en empêcha en la maintenant à distance.

La voix de la raison lui intimait de fuir ; pourtant, Caroline ne pouvait pas s'y résoudre. Si Roman découvrait qu'elle avait menti, il se poserait des questions. Il ne fallait pas qu'il apprenne la vérité sur Ryan, pas plus que sur l'état réel de Frank Sullivan et des finances du groupe.

— Emmène-moi chez toi, susurra-t-elle d'une voix tremblante.

Sans se rapprocher, il la dévisagea intensément, comme s'il cherchait à lire dans ses pensées. Au prix d'un effort surhumain, elle soutint son regard. Au bout d'un temps qui lui parut interminable, Roman indiqua une adresse au chauffeur. Il ne tenta pas le moindre rapprochement.

Un peu désarçonnée, Caroline s'interrogeait sur cette étrange attitude : pourquoi ne profitait-il pas de la situation ? Pourquoi ce silence ?

Lorsque le taxi s'arrêta dix minutes plus tard, le rythme cardiaque de Caroline s'emballa. Il fallait à tout prix qu'elle s'échappe. Elle n'avait plus qu'une envie : se réfugier chez elle, dans sa chambre, et fermer la porte à double tour.

— Je ne me sens pas très bien, lui dit-elle soudain. Peut-être devrais-je rentrer chez moi finalement.

Sans se tourner vers elle, Roman régla la course.

— Si tu ne te sens pas très bien, mieux vaut que tu montes chez moi pour te soigner. Qu'est-ce qui ne va pas ?

— La tête, mentit-elle. Il me vient une migraine.

Il se contenta de lever les yeux au ciel et, d'un geste ferme, la poussa à l'extérieur du taxi. Puis il l'entraîna à sa suite.

— Il va falloir que tu m'appelles un autre taxi, protesta-t-elle. Il faut vraiment que je rentre. Mon enfant a besoin de moi.

— Je trouve curieux que tu n'aies pas pensé à lui lorsque nous étions devant chez toi.

— J'étais... J'étais bouleversée.

— Par ce désir irrépressible qui t'a assaillie, oui, je sais. Je suis flatté. Maintenant, viens prendre une aspirine.

A son ton, Caroline en déduisit que la situation l'ennuyait prodigieusement. Elle ne savait plus quoi penser ni quoi faire. Elle se trouvait dans le quartier financier de la ville, pas à Times Square. Peu de taxis circulaient dans ce secteur.

Renonçant à fuir, elle pénétra dans le bâtiment. En silence, elle suivit Roman jusqu'à un ascenseur privé, qui les mena directement dans un immense appartement. La pièce luxueusement meublée dans laquelle ils pénétrèrent était vitrée de part en part ; elle offrait une vue imprenable sur Manhattan. La cuisine, immaculée, s'étendait à gauche du salon, tandis qu'une porte ouverte donnait sur une immense chambre à droite.

Roman abandonna Caroline au milieu de la pièce. Comme un automate, elle avança jusqu'à la baie vitrée pour admirer la vue. Lorsqu'il la rejoignit, il lui tendit un verre et un comprimé.

— Voici de l'aspirine pour ton mal de tête, lui dit-il.

— Oh… Oui, merci.

Sans hésiter, elle avala le comprimé avec une grande gorgée d'eau.

Roman fit coulisser le grand panneau de verre qui donnait sur la terrasse. Caroline hésita un instant, puis elle le suivit à l'extérieur de l'appartement. L'air frais de la nuit lui fit aussitôt le plus grand bien.

— Cet appartement t'appartient-il ?

— *Da*. Je l'ai acheté il y a environ un an.

— Ah… Tu viens souvent à New York, alors ?

Ainsi, il arpentait les mêmes rues qu'elle, fréquentait peut-être les mêmes magasins. Que se serait-il passé s'il l'avait un jour croisée avec Ryan ? Elle frissonna, angoissée soudain.

Il se tourna vers elle, les yeux rendus brillants par les lumières de la ville.

— Bien entendu. Croyais-tu que j'allais éviter cette ville parce que tu l'habites ?

— Non, répondit-elle vivement. Je suis étonnée de ne pas l'avoir su, c'est tout. La presse ne suit pas tous tes déplacements, visiblement.

Roman faisait souvent la une des journaux *people* et financiers. Ses nouvelles conquêtes, qu'il s'agisse de femmes, de parts de marché ou d'immobilier, étaient fort médiatisées.

— J'intéresse les magazines parce que je suis parti de rien. Si je retournais au néant, on aurait vite fait de m'oublier.

— Ta réussite est en effet spectaculaire.

— Oui, répliqua-t-il froidement. J'imagine le choc que ta famille et toi avez dû éprouver. Tu vois, même un fils de paysan peut se hisser en haut de l'échelle sociale.

Caroline fut blessée par ces paroles. Elle ne s'était jamais considérée comme supérieure à Roman, même si elle le lui avait fait croire pour mettre fin à leur histoire. Sa mère, en revanche, avait toujours déploré leur histoire d'amour, et ses deux parents avaient craint qu'elle en oublie son devoir. Mais elle avait accepté d'épouser Jon pour sauver le groupe Sullivan. Depuis, sa mère refusait ne serait-ce que d'évoquer le nom de Roman, préférant nier l'évidence. Pourtant, son petit-fils ne ressemblait absolument pas à Jon Wells…

Roman se rapprocha, réduisant l'espace qui les séparait au minimum. Tous les sens en alerte, Caroline fut incapable de bouger. Puis, sans qu'elle puisse esquisser le moindre mouvement, elle se retrouva plaquée contre son ex-amant. Aussitôt, elle fut parcourue de frissons.

— Veux-tu vraiment tout oublier, Caroline ? As-tu oublié ceci ?

Elle ferma les yeux lorsque les lèvres de Roman se posèrent sur les siennes. Transportée des années en arrière, elle retrouva les sensations sublimes que ses baisers déclenchaient en elle. Le désir, fulgurant, qui lui arracha un gémissement.

Leurs deux corps semblaient soudés l'un à l'autre, leurs souffles se mêlaient, leur étreinte avait le goût du désespoir, comme si tous deux cherchaient à effacer leur douloureuse séparation.

Lovée contre ce corps puissant, Caroline tremblait de tous ses membres. Cet homme était le seul qui lui ait inspiré des sentiments aussi forts. L'éloignement n'avait en rien apaisé la flamme qui brûlait en elle, et ce constat la bouleversait.

Roman l'enlaça encore plus étroitement et happa de nouveau ses lèvres, en un baiser encore plus passionné, qui ressemblait en tout point au tout premier qu'ils avaient échangé — sur une terrasse qui ressemblait à celle-ci.

Ce soir-là, ses parents donnaient une réception dans leur appartement sur la Cinquième Avenue. Roman, l'un des employés les plus brillants de son père, faisait partie des invités. Bien que n'appartenant pas à la même caste que les Sullivan, il avait une classe folle. Les autres hommes faisaient pâle figure à côté de lui. Caroline n'avait jamais douté qu'il pût s'insérer dans son monde. Elle avait flirté avec lui pendant quelques semaines, lui rendant visite aussi souvent que possible au siège de l'entreprise.

Au cours de cette soirée, elle avait découvert qu'elle avait raison : elle avait admiré son élégance, l'aisance avec laquelle il s'était mêlé aux hôtes prestigieux conviés pour l'occasion.

Totalement conquise, elle s'était jetée à son cou lorsqu'elle l'avait rejoint dans un coin isolé de la terrasse ; à partir de ce soir-là, ils ne s'étaient plus quittés. Leur liaison avait été passionnée, incontrôlable…

Soudain, Roman s'écarta et posa les mains sur ses épaules, le regard rivé au sien.

— Que signifie tout ceci, Caroline, lui demanda-t-il sèchement. Qu'essaies-tu de cacher ?

3.

Alertée par le ton dur de Roman, elle se raidit instantanément. Comment avait-il pu l'embrasser avec autant de passion pour à présent la rejeter ?

— Je ne vois pas à quoi tu fais allusion, répliqua-t-elle, froide.

Malgré le désir qu'il avait su éveiller en elle, Caroline n'était pas prête à se laisser dominer. Si une effroyable bataille devait s'engager entre eux, elle en sortirait victorieuse, quoi qu'il lui en coûte.

Tandis que Roman s'écartait, se passant une main dans les cheveux, elle se concentra sur sa respiration pour calmer les émotions qui l'agitaient encore. Pour se donner une contenance, elle récupéra son étole qui avait glissé au sol et l'ajusta autour de ses épaules nues.

— Tu as menti à propos de ton adresse.

Caroline se figea, l'estomac noué. Elle comprit que mentir encore ne ferait qu'envenimer la situation.

— C'est exact. Comment as-tu deviné ?

— Parce que tout savoir sur les entreprises que je souhaite acquérir fait partie de mon travail.

— Tu aurais pu dire quelque chose, cela m'aurait évité de me ridiculiser.

— En effet, mais nous n'aurions pas vécu ce délicieux intermède ! Revenons aux choses sérieuses : pourquoi ce mensonge ?

Caroline réfléchissait à toute vitesse. Ryan devait être couché à présent. Même si elle avait permis à Roman de l'accompagner jusqu'à sa porte, son fils n'aurait sans doute pas surgi comme un diable de sa chambre pour venir à leur rencontre. Elle avait paniqué sans raison, sans doute à cause de la fatigue qui l'accablait.

Ces dernières semaines l'avaient épuisée. Croulant sous le travail et les responsabilités, elle avait vainement cherché une solution pour continuer à obtenir le soutien de ses partenaires bancaires. A cet instant précis, elle devrait être en train de travailler sur ses dossiers au lieu de bavarder avec ce prédateur qui voulait la déposséder de ce qui lui tenait le plus à cœur.

Le regard de Roman pesait sur elle. Pas de doute, il représentait une terrible menace.

— J'ai menti parce que j'étais en colère, finit-elle par déclarer. Je ne voulais pas que tu me raccompagnes chez moi. Te revoir m'a causé un choc. Et puis, tu es monté dans mon taxi sans y être invité.

— Cela n'explique pas ce qui s'est passé ensuite.

Elle ne pouvait guère le nier. Et jouer la carte de la séduction ne l'avait pas dupé un seul instant. Lasse de cette discussion, elle haussa négligemment les épaules. Peu importait l'opinion qu'il avait d'elle, après tout…

— Ce n'est pas la première fois que je me jette à ton cou. Sans doute ai-je ressenti une certaine nostalgie.

— Bien sûr, railla Roman. Tout s'explique !

— A présent, mieux vaudrait que je rentre chez moi. J'ai commis une regrettable erreur, je l'admets.

Roman plissa les yeux.

— *Da*, mieux vaut que tu t'en ailles, finit-il par déclarer.

Sur ces mots, il quitta la terrasse pour regagner l'appartement. Il saisit la pochette abandonnée par Caroline et la lui tendit d'un geste sec. Partagée entre la honte et la colère, Caroline l'agrippa et la serra entre ses doigts, tout en songeant à l'époque où cet homme brûlait d'amour pour elle. Alors, il réclamait constamment sa présence, aujourd'hui, il la chassait. Pas de doute, il ne ressentait plus rien pour elle… Comme pour confirmer ce constat, il lui adressa un regard méprisant.

— Même si tu as toujours le pouvoir de m'exciter, je n'ai pas très envie de partager mon lit avec toi.

— Tu m'en vois soulagée, rétorqua-t-elle avec une fermeté qu'elle était loin de ressentir. Bien sûr, j'imagine que tes intentions au sujet du groupe Sullivan sont toujours les mêmes ; au moins, je sais à présent que je ne fais pas partie du lot.

Roman éclata d'un rire plein d'ironie mordante.

— Oh ! j'ai toujours des plans te concernant, *solnyshko*. Mais pas pour ce soir.

Après le départ de Caroline, Roman dégusta un whisky sur la terrasse de son appartement en contemplant les lumières de Manhattan. Même à cette hauteur, il percevait le bruit de la circulation en contrebas. Quelque part, au milieu de ce trafic, un taxi ramenait Caroline chez elle, à Greenwich Village.

Elle devait avoir recouvré ses esprits, à présent, car rien ne l'affectait très longtemps : Roman l'avait découvert à ses dépens cinq ans plus tôt. Pourtant, il se rappelait leurs corps enlacés, la passion qui les animait lorsqu'ils se donnaient l'un à l'autre. Il avait imaginé que leur amour serait inaltérable. Quel leurre ! Après chacune de leurs rencontres, Caroline disparaissait de sa vie jusqu'à la fois suivante. Lui en revanche pensait à elle constamment. Il n'avait qu'une idée en tête : clamer haut et fort leur amour. Quel idiot !

Leur liaison n'avait duré que quelques semaines, mais elle avait laissé des traces indélébiles en lui. Longtemps il s'était interrogé sur les motivations de Caroline pour en être arrivée à le rejeter comme elle l'avait fait. Puis, il avait fini par se résigner : elle était une étoile inaccessible pour lui.

Né d'un père violent, d'un monstre que sa mère avait épousé pour le regretter amèrement ensuite, il était tombé amoureux de Caroline entre autres parce qu'elle se moquait de ses origines — du moins le prétendait-elle à l'époque. Elle était presque parvenue à lui faire croire qu'au-delà de l'amour qu'elle lui vouait, elle éprouvait beaucoup d'estime pour lui. Jusqu'à ce qu'elle le rejette comme un vulgaire objet dont elle se serait lassée.

Rongé par l'amertume, il but une nouvelle gorgée de son whisky, tout en se remémorant les instants terribles vécus après cette rupture. Son amour pour Caroline l'avait rendu aveugle et il en avait payé le prix fort. Au lieu de passer les derniers mois de sa vie dans la luxueuse maison de repos dont il avait pu financer le loyer tant qu'il travaillait pour le groupe Sullivan, sa mère avait dû se contenter d'un deux-pièces insalubre, où ses frères et lui s'étaient occupés d'elle jusqu'à ce qu'elle décline puis décède.

Il ne tenait pas Caroline pour responsable de cette situation : il était le seul coupable. Acquérir le groupe Sullivan lui permettrait d'expier en partie ses fautes, même s'il savait que cela ne ramènerait pas sa mère à la vie, ni n'apaiserait les souffrances qu'elle avait endurées.

Soudain, le souvenir des baisers échangés ce soir avec Caroline remonta à la surface. Une sensation vertigineuse s'était emparée de lui lorsqu'il l'avait tenue dans ses bras. Le désir qu'elle lui inspirait était intact. Mais lui seul déciderait du lieu et du moment où il la posséderait de nouveau.

Autrefois, ils vivaient leur amour en cachette dans son appartement vétuste et, lorsque Caroline le quittait pour regagner le somptueux logement de ses parents, il restait longuement accablé par leur différence sociale. Ayant toujours baigné dans le luxe, elle avait fini par se lasser de lui et s'était fiancée avec un homme de sa condition. Roman l'avait appris trop tard.

Jon Wells était un homme tranquille, plutôt timide et effacé. Il était difficile d'imaginer qu'il ait pu séduire la fougueuse Caroline. Au départ, il avait cru qu'elle plaisantait, mais il n'en était rien.

— Je vais épouser Jon Wells.

— Mais, c'est moi que tu aimes ! avait-il protesté tandis que son cœur faisait une embardée.

— Nous nous sommes bien amusés, Roman, mais je ne t'aime pas. Je ne t'ai jamais aimé.

Il revit l'expression hautaine de Caroline, ses traits crispés. Les paroles venimeuses qu'elle avait prononcées résonnaient encore à ses oreilles…

Roman avala d'un trait les dernières gouttes de son whisky, puis rentra dans l'appartement. Il s'installa à son bureau et ouvrit le dossier concernant le groupe Sullivan. Ignorant les premières pages, il se plongea dans le chapitre qui avait trait à Caroline.

Le dossier contenait quelques photos, dont une de Ryan, son fils. Roman étudia attentivement le cliché, malgré la répugnance qu'il éprouvait à l'idée que Caroline ait pu avoir un enfant avec un autre homme que lui. Blond comme sa mère, avait les yeux bleus. Reportant son attention sur la fiche d'information, il lut : *quatre ans*.

Etouffant un juron, il rangea la photo et se plongea dans une autre section du rapport, celle qui avait trait aux difficultés financières de l'entreprise. Le groupe Sullivan avait contracté trop de dettes pour pouvoir emprunter de nouveau et éponger ses pertes. Sans un apport de fonds important, le groupe serait condamné à la liquidation.

Roman rêvait de voir se décomposer le visage de ces aristocrates hautains lorsqu'ils apprendraient qu'il les avait dépossédés de leur bien le plus précieux. Lui qui n'avait pas été jugé assez digne pour fréquenter leur caste… Il serait à l'origine du déclin de cette famille qu'il détestait tant. Rien ne pourrait l'arrêter.

Ils avaient besoin d'un peu de temps encore pour continuer à redresser le groupe Sullivan, songea Caroline en prenant place dans la salle de réunion où l'attendait son directeur financier. Tous deux avaient rendez-vous avec des représentants de la banque Crawford. Levée très tôt, Caroline avait longuement étudié les chiffres ; à présent, elle était épuisée.

Elle n'avait pas très bien dormi. Le souvenir des baisers torrides échangés avec Roman l'avait hantée, l'empêchant de trouver le sommeil. Elle avait revécu en pensée toute la scène de la veille, depuis le long périple en taxi jusqu'à leur arrivée dans l'appartement de Roman, la manière dont ils s'étaient embrassés puis celle dont ils s'étaient quittés.

Se forçant au calme, elle jeta un coup d'œil anxieux à sa montre. L'heure du rendez-vous était passée de quelques minutes. Que se passait-il ?

Agacée, elle se mit à faire les cent pas dans la pièce, puis elle finit par se rasseoir.

Au bout d'une demi-heure, le téléphone résonna dans la grande salle de réunion. Caroline arracha littéralement le combiné de son support à la première sonnerie.

— J'ai un appel pour vous, madame Sullivan. Un certain Roman Kazarov. Prenez-vous la communication ?

Caroline serra les doigts sur le combiné. « Non, eut-elle en vie de crier. Jamais ! » Mais elle savait très bien qu'elle n'avait pas d'autre choix que de parler à Roman. Il ne l'appelait pas pour ressasser les événements de la veille ni pour prendre des nouvelles de sa santé. Il avait de bonnes raisons, de très bonnes raisons, pour se manifester *précisément* maintenant.

Des raisons qui la terrifiaient.

— Rob, pourriez-vous me laisser, s'il vous plaît ? demanda-t-elle à son directeur financier.

Ce dernier hocha la tête et quitta la salle de réunion. Lorsqu'il fut sorti, Caroline demanda à Maryanne de lui transférer l'appel.

Puis, prête à affronter le pire, elle attendit.

— *Dobroye utro*, Caroline, lui dit Roman de sa voix sensuelle. J'espère que tu as bien dormi.

— Très bien, merci. Et toi ?

— Comme un bébé, répondit-il avec un petit rire qui lui glaça le sang et lui donna envie de l'étrangler.

— Je suppose que tu si tu m'appelles, ce n'est pas pour me proposer un rendez-vous galant, lâcha-t-elle, cynique.

Le rire de son ex lui arracha un frisson. A une certaine époque, le son de sa voix la ravissait, faisant naître en elle des désirs effrénés. Elle aurait pu passer des heures à l'écouter.

— Comme tu es impatiente ! protesta-t-il. Tu l'as toujours été, *solnyshko*. Ne t'a-t-on jamais dit que tout vient à point à qui sait attendre ?

— Voyons, Roman, railla-t-elle, tu utilises ce genre de cliché maintenant ? Aurais-tu perdu ton anglais ? Tu étais plus créatif autrefois, lorsque tu ne passais pas ton temps à racheter des sociétés !

— Oh ! je ne manque pas de créativité… dans certains domaines, en tout cas, fit-il d'une voix caressante.

Elle lutta contre son envie de lui raccrocher au nez.

— Non pas que je m'ennuie avec toi, mais je préférerais que tu en viennes au fait. Car, vois-tu, j'ai un rendez-vous très important dans cinq minutes.

— Non, répondit Roman. Inutile d'attendre tes banquiers : ils ne viendront pas.

Caroline prit la nouvelle de plein fouet. Se forçant au calme, elle demanda :

— Je suppose que tu as quelque chose à me dire. Dois-je me préparer à avoir la tête tranchée ou as-tu songé à m'infliger une mort plus lente, plus douloureuse ?

— Tu exagères, comme toujours ; mais cela fait partie de ton charme.

— Comme la cruauté fait partie du tien, répliqua-t-elle d'un ton doucereux.

— La cruauté ? Comme c'est intéressant, venant de toi…

— Ces deux dernières années, tu t'es enrichi sur le dos d'entreprises en difficulté. Si ce n'est pas de la cruauté, de quoi s'agit-il ?

— Ce n'est pas aussi cruel que piétiner le cœur d'un homme, lui rappela-t-il sans la moindre émotion.

Elle frissonna involontairement, mais elle n'était pas prête à abandonner le combat.

— Venant d'un homme qui passe son temps à briser le cœur de ses multiples conquêtes, je trouve ton allusion fort déplacée.

— J'ai eu la meilleure des préceptrices en la matière.

Caroline ferma les yeux et inspira profondément. Dans ce duel, elle bataillait dur, mais Roman était un adversaire redoutable. Depuis leurs retrouvailles, elle vivait dans l'angoisse, le stress permanent. Il fallait à tout prix qu'elle tienne bon.

Pour mettre un terme à leur affrontement, elle demanda calmement :

— Dis-moi ce que tu veux. Pourquoi m'appelles-tu maintenant et comment sais-tu que mon rendez-vous est annulé ?

— Je le sais parce que c'est moi qui l'ai annulé.

— Toi ? Comment est-ce possible ?

— Inutile de perdre du temps à parler crédit avec ta banque.

— Tu as racheté mes créances, c'est ça ? murmura-t-elle tandis qu'une boule se formait dans sa gorge.

Sa famille traitait depuis des années avec la banque Crawford. Leland Crawford et Frank Sullivan étaient bons amis, autrefois. La dernière fois qu'elle avait croisé le banquier, il l'avait assurée de son soutien. Qu'il ait pu agir ainsi sans la consulter la sidérait. Jamais elle ne l'aurait cru capable d'une telle ignominie. Certes, il avait mal vécu le départ à la retraite de son père, d'autant plus que les raisons de ce départ précipité ne lui avaient pas été expliquées. Mais Caroline tenait à ce que tout le monde — excepté sa mère et les membres du conseil d'administration — ignore l'état de santé de l'homme qui avait fondé le groupe Sullivan. Personne ne devait savoir qu'il souffrait d'une maladie cruelle qui le privait de sa mémoire et le rendait peu à peu invalide.

— Tu as racheté la dette, soit, mais le groupe Sullivan ne t'appartient pas. Nous ne sommes pas en cessation de paiement et tu ne peux pas saisir l'entreprise.

Roman rit de nouveau avant de répondre :

— Tu n'es pas *encore* en cessation de paiement.

— Nous ne le serons jamais, tu peux me croire !

— Parfait, Caroline, battons-nous ! J'adore les défis.

— Je dois te laisser maintenant. J'ai du travail.

— *Da*, tu as du pain sur la planche. Et quand tu auras fini ta journée, tu me rejoindras pour le dîner.

— Je ne pense pas, non. Tu as racheté nos créances, pas ma compagnie ni ma personne.

— Réfléchis bien. Il suffit que tes fournisseurs ne te fassent plus crédit et le groupe m'appartiendra. Est-ce ce que tu veux ?

— Tu es prêt à tout, n'est-ce pas ? demanda-t-elle.

— Je crois que tu connais la réponse à cette question.

Sur ces mots, il raccrocha.

4.

Caroline sentait peser sur elle le regard inquiet de Blake tandis qu'elle cherchait une paire de boucles d'oreille assorties à sa robe fourreau.

— Allez-vous lui dire ? lui demanda son ami.

Sans répondre, Caroline renversa le contenu de sa boîte à bijoux sur sa coiffeuse. Elle était furieuse. Après sa conversation téléphonique avec Roman, elle s'était rendue à son club de sport pour se calmer les nerfs. La séance n'avait pas donné les résultats escomptés. A présent, elle était encore plus fatiguée, et sa colère ne s'était pas apaisée.

Elle ne voulait pas se plier aux exigences de Roman ; pourtant c'était bien ce qu'elle s'apprêtait à faire en dînant avec lui.

— Caroline, allez-vous lui en parler ? insista Blake.

— Lui parler de quoi ?

— De Ryan !

Caroline se retourna d'un bloc, de peur que son fils n'entende leur conversation.

— Il regarde un dessin animé avec ce ridicule personnage en éponge, la rassura Blake.

— Il s'appelle Bob et vous le savez très bien, répondit-elle avec un sourire. Nous l'avons vu des dizaines de fois.

— En effet, mais je préférerais les oublier, lui et ses chansons ridicules.

Lorsqu'elle fut prête, Caroline contempla son reflet dans le miroir. La fatigue accumulée ces derniers temps avait laissé des traces sur son visage un peu exsangue. Pas de doute, elle avait besoin de travailler moins et de manger davantage. Cette tendance qu'elle avait de sauter certains repas devait cesser.

— Caroline, insista Blake d'un ton inquiet, vous n'avez pas répondu à ma question.

— Je sais, dit-elle avec un soupir.

Se détournant du miroir, elle le rejoignit et prit ses mains entre les siennes.

— Je vous aime beaucoup, Blake. Vous êtes la meilleure chose qui soit arrivée à Jon et je suis ravie de vous avoir auprès de moi. Vous faites partie de ma vie. Sans vous, j'aurais beaucoup de mal à m'occuper de mon petit garçon.

Les yeux du jeune homme s'emplirent de tristesse, puis il se reprit et ébaucha un sourire :

— Moi aussi, je vous aime beaucoup, et j'aime Ryan. Sans vous, je serais devenu fou après la mort de Jon. Il tenait vraiment à votre bonheur. Il s'inquiétait à votre sujet.

— Je sais.

— Il a toujours regretté son manque de courage lorsque vos parents ont voulu vous marier.

— Ce n'était pas sa faute. Nous étions piégés l'un et l'autre.

Elle n'avait eu connaissance de l'homosexualité de Jon qu'après lui avoir confessé qu'elle attendait un enfant d'un autre homme. A partir de ce moment-là, son mari et elle étaient devenus complices.

— Il n'en demeure pas moins que vous n'avez pu vivre avec l'homme que vous aimiez. Jon se sentait très coupable.

Caroline secoua la tête. Son mari et elle s'étaient longuement interrogés sur la conduite à tenir ; au bout du compte, ils avaient compris qu'une seule option s'offrait à eux. Les parents de Jon étaient très conservateurs et ils auraient renié leur fils s'ils avaient appris son orientation sexuelle. Ils avaient investi dans le groupe Sullivan pour lui assurer son avenir. Le mariage puis l'enfant à naître avaient comblé tous leurs désirs. Hélas, leur fortune n'avait rien pu faire contre la maladie.

— Nous avons accompli notre devoir, soupira-t-elle. Et

pour répondre à votre question, Jon est le père de Ryan. Ce serait trop déstabilisant pour mon fils d'apprendre la vérité.

— Il était très jeune à la mort de Jon. C'est à peine s'il se souvient de lui. La plupart des gens se remarient après le décès de leur conjoint. Les enfants ont de nouveaux parents. Je suis sûr que cet homme serait prêt à protéger Ryan jusqu'à ce qu'il soit en âge de connaître la vérité.

Caroline devint nerveuse à l'idée de dévoiler à Roman qu'il avait un enfant. « Au fait, Roman, te rappelles-tu la dernière nuit que nous avons passée ensemble avant que je ne te chasse de ma vie ? Eh bien, cette nuit-là, nous avons conçu Ryan… »

Elle avait découvert qu'elle était enceinte plusieurs semaines après le départ de son amant, qui avait disparu sans laisser d'adresse. Elle n'avait obtenu de ses nouvelles que deux ans auparavant. Il était trop tard alors pour ressusciter le passé. Jon, Ryan et elle formaient une famille tandis que Roman accumulait les conquêtes et cherchait à s'enrichir par tous les moyens.

— Je n'épouserai pas Roman Kazarov, Blake. Ce que nous avons partagé autrefois est mort. Aujourd'hui, il n'éprouve que du mépris à mon égard. Quant à moi, je ne l'apprécie guère davantage.

— Il a le droit de savoir la vérité à propos de son fils, vous ne croyez pas ?

Elle se détourna pour attraper son étole et l'enrouler autour de ses épaules.

— Il est trop tard désormais. Je ne pense pas qu'il serait heureux d'apprendre la nouvelle après tout ce temps. Et je n'aimerais pas qu'il tente de m'enlever Ryan. Je ne peux pas prendre un tel risque.

— Je sais, ma chère, soupira Blake. J'aimerais tellement qu'il y ait une solution…

— Il n'y en a pas, hélas. Roman est parti avant que j'apprenne ma grossesse. Ensuite, j'ai épousé Jon. Laissons le passé là où il se trouve. C'est mieux ainsi.

Lorsque la voiture envoyée par Roman s'annonça,

Caroline embrassa son fils en lui faisant promettre d'être sage avec « tonton Blake », puis elle s'éclipsa. Resserrant son étole autour de ses épaules, elle se glissa à l'arrière de la limousine. A sa surprise, elle constata que la voiture se dirigeait vers le nord, à l'opposé du quartier des affaires. Après avoir roulé une quinzaine de minutes, ils s'arrêtèrent devant un hôtel select situé juste en face de Central Park.

Elle pénétra à l'intérieur de la bâtisse, certaine que Roman l'attendait dans la salle de restaurant. Mais elle fut accueillie par un liftier en uniforme qui la conduisit jusqu'à un ascenseur. Un peu décontenancée, elle hésita à le suivre, se demandant avec crainte ce que Roman lui réservait.

L'ascenseur déposa Caroline dans une suite luxueuse, où une table pour deux avait été dressée devant un délicieux feu de cheminée. Une musique douce s'échappait des haut-parleurs fixés aux quatre coins de la pièce. Une femme vêtue d'une robe noire très stricte s'avança à sa rencontre pour la débarrasser de son étole.

— Merci, dit Caroline en la lui confiant.

Roman, assis derrière un bureau, était au téléphone. Comme il se tenait de profil, elle ne voyait pas son expression, mais le ton de sa voix était enjoué, rieur. Caroline serra les dents, furieuse. Comment pouvait-il être aussi détendu ?

Sans pouvoir s'en empêcher, elle se retrouva projetée des années en arrière. Des images de leurs corps entremêlés s'imposèrent à son esprit. La passion dévorante qui les animait... leurs baisers enflammés... Seigneur, il fallait à tout prix qu'elle se concentre sur le présent !

Se détournant de Roman, qui ne s'était pas encore aperçu de sa présence, elle accepta volontiers la coupe de champagne que la jeune serveuse lui proposa. Malgré elle, son regard, aimanté, revint se poser sur Roman. Elle ressentit un pincement au cœur en remarquant à quel point Ryan lui ressemblait. La veille, leurs retrouvailles l'avaient tellement bouleversée qu'elle n'avait pas fait le rapprochement. Mais à présent, elle reconnaissait la forme du nez de son fils, la mèche rebelle qui lui tombait constamment sur le front et qu'il chassait avec le même geste impatient que son père. Jamais elle n'aurait imaginé croiser de nouveau la route de cet homme qui avait disparu de sa vie cinq ans auparavant. Pourtant il était là, devant elle, en chair et en os…

Tiraillée par sa conscience, elle s'interrogea sur la conduite à tenir. Devait-elle tout avouer, au risque de mettre son fils en danger ? Roman chercherait-il à le lui enlever ou le rejetterait-il ? Laquelle de ces deux options serait la pire ?

Elle frémit en le voyant ranger son téléphone portable et se lever de son siège. Sa haute stature, tout en muscles, était imposante et sexy à la fois. Il portait un pantalon noir et une chemise pourpre dont il avait déboutonné le col. La veste de son costume et sa cravate reposaient sur le dossier d'une chaise.

Lorsqu'il aperçut Caroline au bout de la pièce, il se dirigea vers elle d'une démarche souple, décontractée. Il paraissait parfaitement détendu, à son aise, alors qu'elle-même luttait contre les émotions qui l'assaillaient.

— Je suis ravi que tu aies pu me rejoindre.

— Tu ne m'as guère laissé d'autre choix, répliqua-t-elle en demeurant sur ses gardes. Donc, oui, je suis là.

— Oui, tu es là…

Caroline résista à la tentation de lui jeter son champagne au visage. Le regard caressant dont il l'enveloppait agissait sur ses nerfs fragiles.

— Ton appartement a brûlé ? lui demanda-t-elle en jetant un regard dédaigneux autour d'elle.

— Pas du tout.

Il saisit une coupe de champagne sur le plateau que lui tendait un serveur avant d'ajouter :

— Je ne reçois pas de femme à dîner chez moi.

Son regard bleu la transperça et elle détourna les yeux.

— Quelle drôle d'idée !

Malgré le tumulte qui l'habitait, Caroline s'efforça de

prendre une posture hautaine, pleine de morgue. Elle espérait toutefois ne pas être percée à jour tant elle se sentait vulnérable.

— C'est toi qui me l'as inspirée.

Stupéfaite par cette remarque, elle faillit lâcher sa coupe de champagne.

— Moi ?

D'un geste, Roman congédia les serveurs, qui disparurent aussitôt. Lorsqu'il reporta son attention sur elle, son pouls s'emballa.

— Je préfère vivre mes aventures ailleurs que chez moi. Comme toi, autrefois. Je rencontre mes maîtresses chez elles ou à l'hôtel.

Sa gorge se serra en se remémorant leurs rencontres. Ils faisaient toujours l'amour chez lui, à l'abri des regards indiscrets. Puis elle rentrait chez elle en catimini. Roman lui reprochait sans cesse de ne pas passer la nuit avec lui, mais elle n'avait jamais enfreint la règle qu'elle s'était imposée.

— Je suis ravie d'avoir au moins servi à ça !

— Tu pourrais encore m'apporter d'autres choses.

— Je ne serai pas ta maîtresse, Roman.

— Vraiment ? Pourtant, hier soir, tu m'as presque prié de coucher avec toi.

Elle ne pouvait nier l'évidence, même si, au départ, il ne s'agissait que d'un stratagème. Ensuite, lorsqu'il l'avait embrassée sur la terrasse, elle lui aurait cédé s'il n'avait pas mis un terme à ce tendre intermède.

— J'ai commis une erreur. Cela ne se reproduira plus.

Roman laissa échapper un petit rire, puis il lui prit le bras pour l'inviter à le suivre dans la pièce. A ce contact, une onde brûlante se propagea dans tout son corps. Comment pouvait-elle ressentir autant de désir pour cet homme qui représentait la pire des menaces pour elle ?

S'écartant de lui, elle se dirigea résolument vers la table de la salle à manger. Avec un sourire narquois, il lui avança galamment une chaise avant de prendre place à son tour.

Aussitôt, des serveurs réapparurent avec des plateaux

chargés de nourriture, qu'ils déposèrent sur une desserte. Après avoir rempli leurs assiettes et leurs verres, ils s'éclipsèrent de nouveau.

— Mange, l'enjoignit Roman en voyant qu'elle hésitait.

Elle avait l'estomac si noué qu'elle pensait ne rien pouvoir avaler. Mais après la première bouchée, l'appétit lui revint aussitôt. Trop prise par le travail et les soucis, elle ne prenait plus le temps de dîner convenablement ces dernières semaines, se contentant de sandwichs ou de salades. Elle aurait particulièrement apprécié ce repas… dans d'autres circonstances !

Sentant le regard de Roman peser sur elle, elle reposa sa fourchette.

— Nous ne parlerons pas affaires pendant le repas, lui dit-il avec un sourire.

— Pourquoi perdre un temps précieux ? riposta Caroline en s'adossant à sa chaise. Plus vite nous en aurons fini, plus vite je pourrai rentrer chez moi.

Il porta son verre de vin à ses lèvres et en savoura une gorgée.

— Tu donnes l'impression de n'avoir fait que travailler ces derniers mois. Apprécie ce repas. Les affaires peuvent attendre.

Il se concentra alors sur son assiette. Caroline attendit quelques secondes avant de l'imiter. Le débat était clos pour le moment. Roman se comportait comme s'il était seul à table.

La nourriture était si savoureuse qu'elle finit par oublier sa présence. Elle se rappela les délicieux repas que Jon et elle prenaient ensemble autrefois. Jon était un cordon-bleu et adorait lui préparer des petits plats. Puis, lorsqu'il était tombé malade, ils avaient engagé une cuisinière, qui était demeurée à son service par la suite pour s'occuper de Ryan.

— Je me demande comment tu as pu bâtir un empire en prenant trois repas par jour, lui dit-elle, sarcastique.

— Tu oublies le sexe ! Je prends aussi du temps pour ça.

Une douleur sourde s'insinua en elle en imaginant Roman avec d'autres femmes. C'était ridicule ! Elle savait bien qu'il ne s'était pas astreint au célibat ces dernières années. Les journaux relataient régulièrement ses exploits. Plusieurs top-modèles, actrices, reines de beauté ou héritières avaient succombé à son charme.

— Tu es un homme qui possède de nombreux talents, dit-elle en levant son verre. Bravo !

Il l'observa tandis qu'elle portait le verre à ses lèvres.

— Cela te fait-il du bien ? lui demanda-t-il en la dévisageant intensément.

— Quoi ? Le vin ?

— Non, la rébellion.

— Je ne vois pas à quoi tu fais allusion, répliqua-t-elle en levant le menton. De quelle rébellion parles-tu ? Contre qui suis-je censée me rebeller ? Toi ? Tu ne représentes rien pour moi. Quel besoin aurais-je de me rebeller contre toi ? Je trouve cette idée insultante, à dire vrai. Je n'ai pas besoin de ta permission ou de ton approbation pour être qui je suis.

— Comment Jon Wells a-t-il pu s'y prendre avec toi ? murmura Roman, l'air perplexe.

— Ne parle pas de lui, protesta Caroline, dont les défenses se craquelaient. Il n'a rien à voir avec tout ceci.

— Tu l'aimais ?

— Bien sûr que je l'aimais ! Je l'ai épousé, non ?

Caroline se mordit la lèvre. Quel besoin avait-elle de provoquer ainsi Roman alors qu'il tenait son destin entre ses mains ? Il la regardait avec un mépris non dissimulé. Elle croisa les bras sur sa poitrine et se força au calme.

— A quoi rime cette mascarade ? lança-t-elle. Il nous est impossible de tenir une conversation… civilisée.

— Et pourtant, il le faut. Que tu le veuilles ou non, *solnyshko*, je détiens tes créances.

— Puisque tu en parles, quelle ruse infâme as-tu employée pour convaincre Leland de te les céder ?

— Je te trouve vraiment téméraire…

— Je déteste qu'on abuse de moi.

— Tiendrais-tu le même genre de propos avec Leland Crawford ? Ou avec n'importe quel autre banquier détenteur de tes crédits ? Les accuserais-tu de tricherie comme tu le fais avec moi ? Te montrerais-tu aussi hostile à leur égard ?

— Leland ne me poserait pas de questions sur mes relations avec mon mari. Il ne me demanderait pas de coucher avec lui pour sauver le groupe Sullivan.

Le regard de Roman se durcit.

— Je n'ai jamais prétendu que coucher avec moi sauverait tes précieux magasins. J'ai dit que je les voulais. Et toi aussi. Ce n'est pas exactement la même chose…

5.

Les jolis yeux de Caroline s'agrandirent, mais avant que Roman ne puisse lire ses pensées, ses paupières bordées de longs cils s'abaissèrent. Elle était en colère et en proie à une grande frustration, et pour cause ! Il ne se comportait pas d'une manière très charitable à son égard, certes, mais elle ne méritait aucun égard, aucune compassion.

Depuis le baiser qu'ils avaient échangé la veille au soir, des réminiscences de leur passé commun l'avaient empêché de penser à autre chose. Malgré la façade de glace qu'elle lui opposait, il savait qu'elle avait une nature passionnée. Il se rappelait leurs ébats torrides, cet élan qui les poussait dans les bras l'un de l'autre… Il aurait préféré oublier cette période de sa vie, mais il n'y parvenait pas.

— J'ai un enfant, dit Caroline fermement. Le jeu dans lequel tu m'entraînes a beau être très amusant, je dois penser à mon fils. Je ne serai pas ta maîtresse. A aucun prix.

— Vraiment ?

— Si tu étais élégant, tu ne proposerais pas un tel marché, répondit-elle en le fusillant du regard.

— Je n'ai jamais dit que j'étais élégant ! répliqua-t-il en riant.

Puis, redevenant sérieux, il se pencha vers elle.

— Mais je suis honnête, contrairement à toi.

Caroline baissa de nouveau les yeux, profondément blessée par cette accusation injuste, puis elle les releva.

— Je ne peux pas te faire changer d'avis à mon égard. C'est pourquoi je n'essaierai même pas.

— Ce serait peine perdue, en effet, décréta-t-il sèchement. D'autant plus que tu continues à faire preuve de malhonnêteté.

Caroline haussa les sourcils, stupéfaite par cette attaque inattendue. Nerveusement, elle se mit à jouer avec son collier de perles, puis elle cessa, tout en cherchant à reprendre contenance. Il ne fallait pas qu'elle montre à Roman à quel point elle se sentait vulnérable.

— Je ne vois pas du tout à quoi tu fais référence, lança-t-elle d'un ton hautain.

— Tu cherches à te mentir, mais je ne suis pas dupe. Hier soir, si je n'avais pas mis un terme à notre étreinte, tu m'aurais supplié de te faire l'amour.

— Tu es trop imbu de toi-même. J'ai eu un moment de faiblesse, je le concède, mais ça ne serait pas allé plus loin.

— Ah oui ? Et si nous mettions cette belle certitude à l'épreuve ?

Elle le toisa avec mépris.

— Est-ce ainsi que tu traites toutes tes affaires ? Forces-tu toutes les femmes à coucher avec toi ou bien suis-je un cas spécial ?

Roman avait oublié à quel point la colère rendait Caroline séduisante. Son caractère indomptable forçait son admiration, il devait le reconnaître.

— Je n'ai jamais dit que je te forcerais à quoi que ce soit.

Un peu décontenancée, elle se concentra sur son assiette. Un long silence pesa entre eux. Roman savoura une nouvelle gorgée de vin tout en songeant à la chance qui avait fini par tourner à son avantage. Aujourd'hui, il pouvait s'offrir tout ce qu'il désirait. Enfant, il avait connu la pauvreté au sein d'une famille désunie. Ses parents se querellaient sans cesse. Ses frères et lui avaient mené une existence tumultueuse, volant de la nourriture et des vêtements, se bagarrant sans cesse. Rien n'avait été facile dans sa vie. Rien ne lui avait été servi, comme à Caroline, sur un plateau d'argent.

Il ne l'avait jamais méprisée pour cela. Il lui reprochait simplement de lui faire sentir, une fois de plus, qu'il était le fils d'un homme violent, d'une brute inculte incapable d'épeler son propre nom.

Lorsque Roman avait perdu son visa américain, il s'était retrouvé totalement démuni. Il avait tout raté, comme son père avant lui lorsqu'il dépensait son salaire en alcool. Il n'y avait jamais assez de nourriture, jamais assez d'argent pour payer les factures, mais sa mère avait travaillé sans relâche pour subvenir aux besoins de ses enfants. Au souvenir de l'appartement délabré dans lequel il avait été obligé de l'installer par manque de moyens, une soudaine envie de briser quelque chose le saisit.

— Tu te trompes Caroline, dit-il en refoulant les violentes émotions qui l'avaient assailli. Je te veux, c'est vrai. Mais c'est toi qui viendras vers moi, pas l'inverse. Tu ne peux nier la passion qui nous habite encore.

— Tu es d'une arrogance incroyable ! Si tu crois que je vais te tomber dans les bras simplement parce que tu existes, tu te berces d'illusions.

— Que tu le veuilles ou non, c'est ce qui se passera.

Roman était convaincu de ce qu'il avançait. Leurs baisers passionnés sur la terrasse ne laissaient place à aucun doute. Le désir qu'ils éprouvaient l'un pour l'autre était intact.

Caroline le fixa intensément avant de répliquer :

— Je crois que je vais bien m'amuser. Parce je ne ferai jamais ce que tu attends de moi. Tu as misé sur le mauvais cheval.

— Si tu le dis, *solnyshko*. Nous verrons bien…

Elle baissa les yeux la première, tout en rongeant son frein. Elle ne voulait pas envenimer la situation. Mieux valait abandonner le combat pour le moment et passer aux choses sérieuses.

Quand elle croisa de nouveau son regard, Roman comprit qu'elle était plus déterminée que jamais. Si elle avait pleuré, imploré sa pitié, il aurait éprouvé plus de difficulté à la harceler. Mais tous deux combattaient à armes égales, ce qui rendait le défi à relever encore plus intéressant.

— Je suppose que tu souhaites voir les chiffres, avançat-elle, comme si les dernières minutes de leur conversation n'avaient jamais existé. Nos prévisions pour le trimestre à venir sont excellentes et nous pourrons honorer nos traites en temps et en heure, je peux te l'assurer.

— Et qu'en pense ton père ?

— Mon père a pris sa retraite. Il n'intervient plus dans les décisions du groupe.

Roman peinait à le croire. A la retraite ou non, Frank Sullivan n'était pas le genre d'homme à s'effacer, même s'il avait légué à sa fille les rênes de la société.

— Je suis sûr qu'il intervient encore à titre de conseil.

— Tu devras traiter avec moi seule, répliqua-t-elle fermement. Je suis le P.-D.G. du groupe. Mon père profite de sa retraite.

— Que dira-t-il lorsqu'il apprendra que son entreprise est en cessation de paiement ?

— Cela ne se produira pas.

— Désolée de te contredire, mais c'est inévitable. Mon audit m'a coûté une fortune et je suis sûr de mon fait.

— Dans ce cas, pourquoi avoir pris le risque de racheter nos créances ? Si ce que tu dis doit se produire, tu perdras beaucoup d'argent.

Roman s'adossa à son siège. Il adorait instiller le doute chez ses adversaires.

— J'ai beaucoup d'argent. Je peux me permettre d'en perdre pour obtenir ce que je veux. Par ailleurs, une fois que vous serez en cessation de paiement, je récupérerai mon argent. Veux-tu savoir comment ?

Caroline soutint son regard.

— Que je le veuille ou non n'a aucune importance, puisque tu as la ferme intention de m'expliquer ce que tu as en tête. Alors, vas-y !

Roman prit le temps d'avaler une gorgée de vin avant de poursuivre :

— Je vais vendre le groupe. Morceau par morceau. C'est aussi simple que cela.

Horrifiée, elle eut l'impression que le sang quittait son visage.

— Ah oui ? Et comment comptes-tu t'y prendre ? Personne n'a envie d'acquérir un grand magasin ces temps-ci.

— Tu as essayé d'en vendre certains, n'est-ce pas ?

Comme elle gardait le silence, il reprit :

— Ne nie pas. Tu as essayé de vendre les moins rentables de tes magasins et personne n'en a voulu. Tu t'es trompée de stratégie. Tu n'as pas réfléchi à ce que rapporteraient les locaux ou les équipements en cas de liquidation des magasins.

— Le marché de l'immobilier est au plus bas, de nos jours. Tu accuserais de grosses pertes.

— Je crois au contraire que je gagnerai beaucoup d'argent.

— C'est tout ce qui compte à tes yeux, n'est-ce pas ?

— Bien entendu. A quoi d'autre devrais-je accorder de l'importance ?

— La tradition, répondit Caroline d'un ton très bas. La famille.

— Ton sentimentalisme te conduira à ta perte, railla-t-il. Tu dois te montrer dure, prête à toutes les extrémités.

— Comme toi !

— Ne te berce pas d'illusions, *solnyshko.*

— J'ai un enfant. Le groupe Sullivan lui appartiendra un jour. Je ferai tout pour que cet héritage lui revienne.

— Tu devras te montrer particulièrement impitoyable si tu comptes y parvenir.

— Je suis prête à tout, le défia-t-elle avec fermeté.

Roman leva son verre.

— Eh bien, que le meilleur gagne !

— Ou *la* meilleure, corrigea Caroline en faisant tinter son verre contre le sien.

Les yeux baissés, Caroline garda le silence lorsque le personnel débarrassa leur table et leur servit le dessert, accompagné d'un café. Elle paraissait plongée dans ses pensées. Le feu de cheminée nimbait son visage d'une nuance dorée. Roman ressentit soudain l'envie de se rapprocher d'elle et de plonger sa main dans l'or liquide de sa chevelure, comme il avait coutume de le faire autrefois.

Quand elle leva enfin les yeux, leurs regards se rivèrent l'un à l'autre.

— Du cheese-cake aux myrtilles, dit-elle. Etait-ce volontaire de ta part ?

— C'était ton dessert préféré, si je me souviens bien.

— Je…

Elle s'interrompit, submergée par un flot d'émotions. Elle se rappela les fois où tous les deux, après l'amour, se régalaient de ce dessert, serrés l'un contre l'autre dans le lit.

— Tu es un monstre, Roman Kazarov, reprit-elle d'une voix mal assurée. Tu veux que je me souvienne de ce que nous avons partagé autrefois…

— La fin justifie les moyens. Je n'ai jamais dit que je combattrais de manière loyale.

Caroline étouffa un juron le lendemain matin en découvrant un entrefilet dans la presse : « Nid d'amour ? L'héritière des Sullivan passe une soirée douillette en compagnie de Kazarov. »

Une photo d'elle pénétrant dans l'hôtel accompagnait l'article, ainsi qu'une autre prise au moment de son départ, trois heures plus tard. L'article se perdait en conjectures sur ce qui avait pu motiver cette rencontre.

Elle était prête à parier que Roman était derrière tout ça. C'était la raison pour laquelle il avait organisé ce dîner privé dans une suite luxueuse. Il voulait la déstabiliser, mais c'était mal la connaître. Elle avait l'habitude d'être la proie des médias, même si on la laissait plutôt tranquille ces derniers temps. Depuis la mort de Jon, elle avait travaillé sans relâche et était demeurée cloîtrée. Il avait fallu qu'elle retrouve Roman, un homme dont la notoriété ne cessait de croître, pour attiser de nouveau la curiosité des paparazzis.

D'un geste rageur, elle froissa le journal et le jeta dans

la corbeille à papier. Un travail colossal l'attendait et elle ne laisserait personne interférer dans ses priorités. Il fallait à tout prix qu'elle oublie Roman quelque temps. Pourquoi avait-il fallu qu'il lui serve son dessert préféré ? Pour l'ébranler, évidemment.

La sonnerie de son téléphone portable la sortit de sa rêverie. Le numéro ne lui était, hélas, pas inconnu…

— Tu dois trouver cela amusant, n'est-ce pas ? demanda-t-elle de but en blanc.

— Bonjour ! répondit Roman d'un ton enjoué qui lui fit grincer des dents. Ne te laisse pas impressionner par ces torchons. Ignore-les.

— Comment as-tu deviné que je parlais de cet article ?

— Je suis traqué par les paparazzis depuis deux ans. Ils sont à l'affût de tout. L'important, c'est de ne pas en tenir compte.

— Facile à dire pour toi, rétorqua-t-elle avec humeur. Toute ma vie, j'ai été harcelée par la presse, sauf que personne n'a jamais rien trouvé d'humiliant à dire sur moi.

— Tu as eu de la chance.

— Oui, mais il semble qu'elle ait tourné. Grâce à toi.

Les yeux rivés sur son écran d'ordinateur, elle contempla les chiffres et les graphiques qui témoignaient de la santé financière fragile du groupe Sullivan. Elle craignait de ne pas pouvoir honorer les prochaines échéances de ses prêts dans deux semaines. Passablement irritée, elle fit pivoter son fauteuil de bureau pour contempler Central Park.

— Alors, que me vaut le plaisir de ton appel ?

— Quelle hypocrisie ! M'accueillir ainsi au lieu de m'envoyer au diable.

— Notre relation est purement professionnelle. Et puis te repousser n'apporterait rien de constructif : tu continuerais à me harceler.

Un petit rire accueillit cette remarque. Curieusement, Caroline dut se retenir pour ne pas sourire à son tour. Pourtant, la situation n'avait rien de comique.

— J'aimerais visiter tes magasins et je souhaiterais que tu m'accompagnes.

Surprise, elle garda un instant le silence.

— Je ne peux pas quitter New York, dit-elle enfin.

— Il faut pourtant t'y résoudre. Si tu concentres toute ton attention sur les magasins de cette ville, comment pourras-tu rectifier la situation de tous les autres ? New York ne sauvera pas le groupe Sullivan.

— Je le sais, admit-elle sèchement. Mais je ne peux pas m'absenter. J'ai un enfant.

— Je suppose qu'il a une nourrice, non ?

Depuis le décès de Jon, Blake s'occupait de Ryan à plein-temps. Avant cela, une jeune européenne vivait avec eux, mais elle était rentrée chez elle. Blake avait proposé tout naturellement de la remplacer en attendant que ses talents d'artiste lui permettent de vivre de sa passion. Hélas, il n'avait aucune perspective d'y parvenir pour le moment.

— Oui, mais je n'abandonnerai pas mon enfant pour satisfaire tes caprices.

Roman brisa le silence qui s'était installé entre eux :

— Dans ce cas, emmène Ryan et sa nourrice avec toi. Tu as les moyens de te le permettre, non ?

Oui, elle le pouvait, mais n'en avait absolument pas envie. A l'idée de réunir Ryan et Roman, la terreur l'envahit.

— Tu n'as pas besoin de ma présence, lâcha-t-elle. Je mettrai quelqu'un d'autre à ta disposition.

Roman prononça quelques paroles inintelligibles en russe, sur un ton passablement agacé. Probablement un juron, songea Caroline en serrant les mâchoires. Lorsqu'il s'adressa à elle, sa voix avait retrouvé ses intonations caressantes :

— Il ne s'agit pas d'une demande, mais d'un ordre. Je t'enverrai une voiture à 17 heures.

— Il n'en est pas question ! protesta-t-elle malgré son angoisse grandissante. Comme je te l'ai déjà dit, tu as racheté mes créances, pas ma présence. Je t'enverrai mon directeur financier.

— Si tu fais cela, je ferai en sorte que tes fournisseurs te laissent tomber.

— Tu es ignoble, souffla-t-elle, accablée.

— C'est la raison pour laquelle nous nous comprenons parfaitement, Caroline.

6.

Elle embarqua à bord de l'avion privé de Roman à 17 h 45 précises. Après avoir longuement réfléchi aux options qui s'offraient à elle, Caroline avait fini par se plier aux exigences de son ancien amant. Pourtant, elle aurait aimé camper sur ses positions pour lui prouver que son autoritarisme n'avait pas de prise sur elle. Mais pour sauver l'empire Sullivan, elle ne reculerait devant rien. Elle l'avait déjà prouvé par le passé.

Lorsqu'elle pénétra dans la cabine principale, suivie de Blake et de Ryan, Roman les attendait, confortablement installé dans un fauteuil. A leur arrivée, il se leva pour les saluer. Caroline perçut le regard perplexe qu'il jeta sur Blake, mais très vite il retrouva cet air affable qu'il affichait en toutes circonstances. Rien ne le perturbait jamais longtemps.

Il serra poliment la main de Blake, puis il se tourna vers Ryan. Caroline retint sa respiration. C'était la première fois que le père et le fils se rencontraient. Elle aurait aimé que Ryan s'endorme sur le chemin de l'aéroport, ce qui lui aurait permis d'éviter cette toute première confrontation, mais son fils s'était agité pendant tout le voyage, les pressant de mille questions.

Impressionné par la haute stature de Roman, il se réfugia tout contre Blake, qui le prit dans ses bras.

— Tout va bien, mon trésor, intervint Caroline d'une voix douce. M. Kazarov est… un ami de maman.

Que pouvait-elle dire d'autre ?

— Vous pouvez l'emmener dans la cabine arrière, dit Roman en s'adressant à Blake.

Cette proposition ressemblait plus à un ordre qu'à une invitation. Perplexe, Blake interrogea Caroline du regard, puis il s'exécuta.

— Je t'interdis de donner des ordres à Blake. Il fait partie de la famille. Jon l'appréciait beaucoup.

Roman détourna les yeux. Il paraissait embarrassé, une attitude qui ne lui ressemblait pas.

— Je te prie de m'excuser. Je n'ai pas l'habitude de côtoyer des enfants.

Un peu surprise, Caroline garda un instant le silence. Elle ne s'attendait pas à des excuses.

— C'était ton idée, finit-elle par dire d'un ton plus aimable. Tu aurais pu éviter cette situation si tu n'avais pas insisté pour que je t'accompagne.

— J'en suis conscient, admit-il en s'installant de nouveau dans le fauteuil qu'il occupait avant leur arrivée.

Comme si tout avait été dit, il se remit à pianoter sur son ordinateur.

— Assieds-toi, reprit-il sans même la regarder. Nous allons bientôt décoller.

— Où allons-nous ?

— A Los Angeles. Y vois-tu un inconvénient ?

— Je suis étonnée par ce choix. Le grand magasin de Los Angeles marche bien. Je pensais que nous visiterions en premier les moins performants.

— Au contraire. Si ce magasin donne de bons résultats, il y a peut-être des leçons à en tirer pour les autres.

— Tu n'as absolument pas l'intention de redresser la situation du groupe, Roman. A quoi rime cette mascarade ?

Agacée, elle se laissa tomber dans un fauteuil et croisa les bras sur sa poitrine, renfrognée. Le regard que porta Roman sur ses jambes nues la déstabilisa pourtant.

— C'est là où tu te trompes, *solnyshko.* La bonne santé du groupe m'intéresse au plus haut point. Si tu perds de l'argent, j'en perds aussi.

— J'ai du mal à te suivre. Si nous nous retrouvons en

cessation de paiement, le groupe te revient. Dans le cas contraire, tu n'auras rien.

— Je n'irais pas jusqu'à souhaiter que la situation s'améliore pour toi. Il m'importe simplement de voir où sont les profits pour que j'en tire tous les bénéfices. Car, vois-tu, je refuse de perdre de l'argent.

Le monde des affaires était impitoyable, Caroline était bien placée pour le savoir. Le groupe Sullivan accusait des pertes depuis que son père avait sombré dans la sénilité. Elle avait essayé de redresser la situation, mais elle était aux commandes depuis six mois seulement. Elle avait besoin de plus de temps que Roman n'était disposé à lui en accorder.

Penser à son père la torturait. Ses pertes de mémoire étaient passées inaperçues au départ. Puis, progressivement, la situation s'était aggravée. Parfois, il ne savait plus dans quelle direction aller lorsqu'il quittait le siège du groupe. Ou encore, il ne retrouvait plus l'adresse de son café préféré.

Un jour, il avait quitté son appartement sur la Cinquième Avenue pour se rendre au travail et s'était perdu. On l'avait retrouvé dans Central Park, où il avait erré des heures. Totalement désorienté, il avait reconnu sa femme mais pas sa fille, du moins dans un premier temps.

— Tu disais vouloir revendre le tout, petit bout par petit bout. Il serait temps que tu décides de ta ligne de conduite.

— J'ai tout de même besoin de savoir où se trouve l'argent, ma chérie, répliqua Roman en lui adressant un sourire condescendant, comme si elle n'entendait rien au business.

Préférant ne pas relever cette remarque, elle s'enfonça dans son siège et tourna la tête vers le hublot. L'avion se dirigea doucement vers la piste. Après le décollage, elle décida de travailler sur ses dossiers. Elle venait tout juste d'ouvrir un fichier lorsque Ryan surgit dans la cabine, suivi de près par Blake — qui affichait une mine contrariée.

— Maman, maman !

— Qu'y a-t-il, mon bébé ?

— Désolé, dit Blake, il m'a échappé.

— Pas de problème, répondit Caroline.

Elle jeta un coup d'œil vers Roman. Se pouvait-il qu'il devine les liens qui l'unissaient à cet enfant ? N'avait-il pas constaté leur étonnante ressemblance ? Blake, quant à lui, paraissait fasciné par le spectacle du père et du fils réuni.

Caroline leva le menton de Ryan.

— Que voulais-tu, mon chéri ?

— Irons-nous chez grand-mère et grand-père en Floride ?

Ryan parlait des parents de Jon. Seigneur, que pouvait-elle répondre ? Elle ne les voyait plus depuis le décès de leur fils, mais Ryan ne les avait pas oubliés. Sur son lit de mort, Jon avait avoué à ses parents que Ryan n'était pas son enfant. Il avait tenu à leur dire la vérité et Caroline ne l'en avait pas empêché.

Richard et Elaine Wells n'avaient pas bien accueilli cette nouvelle, c'était le moins que l'on puisse dire. Ils avaient rompu tout contact avec elle après la mort de Jon. Heureusement, ils avaient légué leurs parts du groupe Sullivan à Jon bien avant ce tragique événement.

— Non, mon chéri, pas cette fois, répondit-elle. Nous allons en Californie avec M. Kazarov.

L'enfant tourna la tête vers Roman, puis il se mit à sucer son pouce. Caroline s'efforçait de lui faire perdre cette habitude, mais elle ne lui adressa aucun reproche, cette fois.

— Dis bonjour à M. Kazarov, mon chéri, reprit-elle. Tout à l'heure, nous avons abrégé les présentations. Nous voyageons à bord de son avion, tu sais.

— Bonjour, dit son fils d'une voix intimidée.

— Bonjour… Ryan, répondit Roman.

— Sa manière de parler est bizarre, maman.

— M. Kazarov vient de Russie, un grand pays situé loin d'ici. Et je suis sûre qu'il trouve notre façon de parler bizarre, lui aussi.

Ryan ouvrit de grands yeux étonnés ; puis, s'adressant à Roman, il demanda :

— Votre avion peut aller jusqu'en Russie ?

Roman paraissait mal à l'aise. Pas de doute, il se trouvait

en dehors de sa zone de confort. Caroline voulut intervenir, mais il fut le plus prompt :

— Oui, il peut parcourir ce trajet. Je l'ai déjà fait plusieurs fois.

— On peut y aller maintenant ?

— Un jour peut-être, mais pas maintenant.

— On pourrait aussi rendre visite à grand-père et grand-mère ?

— Oui, peut-être.

— Trésor, intervint Caroline, que dirais-tu d'aller jouer avec Blake ?

— Tu viens toi aussi ? demanda son fils, plein d'espoir.

Une vague de culpabilité l'assaillit. Elle avait été très occupée ces derniers temps, au point d'en oublier ses devoirs de mère.

— Oui, je vais venir, lui répondit-elle avec entrain. Laisse-moi juste le temps de dire quelques mots à M. Kazarov.

Ryan hocha la tête. Sagement, il suivit Blake dans la cabine arrière.

— Je suis désolée, déclara Caroline lorsqu'ils eurent disparu. Il n'a que quatre ans, mais il a beaucoup d'énergie.

— Ce n'est pas étonnant, répondit Roman en haussant les épaules. Il te ressemble.

— Il a les yeux de son père, dit-elle doucement.

L'expression de Roman se durcit. Aussitôt, Caroline fut assaillie par la culpabilité. « Il a le droit de savoir », songea-t-elle. Mais comment pourrait-elle un jour lui avouer la vérité ?

— Je suis désolée s'il t'a dérangé.

— Pas du tout, répondit-il en reportant son attention sur son écran d'ordinateur.

Après un long moment de silence, il ajouta :

— Je ne suis pas doué avec les enfants. Je ne sais jamais quoi leur dire.

— Ils ne sont pas difficiles à comprendre, répondit-elle, la gorge serrée. Parfois, ce qu'on leur dit n'a aucune espèce d'importance. Ils veulent simplement capter notre attention, nous sentir proches d'eux. Tu as été un enfant, toi aussi, rappelle-toi.

Il tourna la tête vers elle de nouveau. Le regard vide, dénué d'émotion, comme si ce qu'elle venait de dire n'éveillait aucun souvenir en lui. Au contraire même, elle sut d'instinct qu'il avait dû connaître une vie difficile, autrefois.

— Je n'ai tiré aucun enseignement de mon enfance, crois-moi. Mon père était une brute inculte. Pour survivre, nous avons appris à nous cacher.

— Roman ! s'écria-t-elle, horrifiée. J'ignorais cela. Je suis désolée…

Il lui adressa un regard noir sans répondre.

— Va jouer avec ton fils, dit-il finalement. Et laisse-moi travailler en paix.

Une voiture les attendait à l'aéroport pour les conduire directement au Beverly Hills Hotel, où Roman avait réservé l'un des pavillons présidentiels. Un espace somptueux, doté de trois chambres et d'une piscine privée. La cour était équipée d'un tapis de jogging et d'une douche en plein air. Les pavillons, isolés les uns des autres, bénéficiaient d'un espace privé à l'abri des regards indiscrets. C'était comme habiter une maison en plein milieu de Los Angeles.

Après s'être assuré que Blake et Ryan étaient bien installés pour la soirée et ne manquaient de rien, Roman voulut visiter incognito le magasin Sullivan. Caroline accepta de l'accompagner. Après avoir enfilé un jean, un pull sans manches et une paire de sandales, elle le rejoignit dans la salle de séjour. Lui aussi avait opté pour un jean. Sous son T-shirt noir se dessinaient les muscles de son torse. Il paraissait plus jeune, plus insouciant, et ressemblait au jeune homme qu'elle avait profondément aimé. Il savait la faire rire autrefois, se souvint-elle avec nostalgie. Comme cette époque lui manquait !

La révélation qu'il lui avait faite dans l'avion lui revint à la mémoire. Jamais il ne s'était confié sur son passé. Imaginer qu'il ait été élevé sans amour par un père violent la torturait. Personne ne méritait de vivre cela.

A bord d'une voiture de sport louée pour l'occasion, ils prirent la direction de Sunset Boulevard. La circulation fluide à cette heure de la journée leur permit d'atteindre le grand centre commercial en un rien de temps. Roman confia son véhicule à un voiturier et entraîna Caroline dans le magasin Sullivan. Rien dans leur tenue ne les distinguait des autres clients, encore nombreux malgré l'heure tardive. Caroline fut emplie de fierté à la vue de la foule qui se pressait dans les rayons parfaitement ordonnés. Les vendeurs se montraient à l'écoute et efficaces.

Roman se rendit au centre du magasin et leva les yeux vers les quatre étages supérieurs. Les Escalator transportaient chacun leur lot de clients, chargés de paquets. Caroline regrettait de ne pas passer plus de temps dans les magasins. Depuis des semaines, elle s'enfermait dans son bureau et travaillait sans relâche.

Toute cette agitation autour d'elle la ragaillardit et lui redonna un peu d'espoir.

— Allons au rayon « alimentation », proposa-t-elle à Roman d'un ton enjoué. J'ai envie de chocolat !

Il la suivit sans protester. Ensemble, ils empruntèrent l'Escalator qui menait à l'étage inférieur. Les magasins Sullivan, qui offraient une grande variété de produits de luxe, étaient fréquentés par de fins gourmets. Malgré la foule agglutinée devant le stand des chocolats, Caroline ne renonça pas. Patiemment, elle attendit son tour et acheta quelques truffes.

Puis, fendant la foule, tous deux empruntèrent un nouvel Escalator qui menait au rayon « homme ». Profitant de ce moment de répit, Caroline porta une truffe à sa bouche et ferma les yeux, le temps de la déguster.

— Quel délice ! s'exclama-t-elle.

— Sont-elles parfumées à la myrtille ?

— Non. Veux-tu en goûter une ?

Sans se faire prier, Roman plongea la main dans le sachet de truffes. Fascinée, elle contempla les lèvres de son ex-amant tandis qu'il mâchait doucement la friandise. Ces lèvres qui avaient su éveiller tant de désir en elle…

— Je préfère quand c'est toi qui me donnes la béquée, dit-il en baissant les yeux vers elle. Comme avec les myrtilles, autrefois…

Sa voix était douce comme la soie, envoûtante.

— Moi aussi, j'aimais bien, lâcha-t-elle dans un sourire.

Soudain consciente de l'erreur qu'elle venait de commettre, elle détourna vivement la tête. Venait-elle vraiment de prononcer ces mots-là ?

Au lieu d'éluder toute réminiscence de leur passé commun, elle venait de dévoiler la nostalgie qui l'habitait depuis cinq longues années. Roman n'avait pas tort de prétendre qu'elle le désirait encore. Qui plus est, malgré tous ses efforts, elle n'arrivait pas à le détester. L'évocation de son enfance malheureuse était même parvenue à l'émouvoir. Elle avait envie de connaître cet homme qui avait souffert, découvrir la part d'humanité qui demeurait en lui. Il ne pouvait pas avoir changé au point de devenir un monstre d'égoïsme.

Soudain, elle sursauta en sentant la main de Roman sur sa joue. Il lui écarta une mèche du visage puis plongea son regard dans le sien.

— Donne-moi une truffe, lui chuchota-t-il d'une voix rauque.

Après une brève hésitation, Caroline s'exécuta, sans le quitter des yeux, hypnotisée. D'un geste lent, elle saisit un chocolat puis le déposa dans la bouche de Roman. Lorsqu'il referma les lèvres sur le bout de ses doigts, un frisson la secoua.

Une fois parvenu au rayon « homme », Roman l'entraîna par la main et pénétra dans un salon d'essayage. Surprise par tant d'audace, Caroline s'écria :

— Mais… que fais-tu ?

— Tu le sais très bien et tu en as autant envie que moi, murmura-t-il tout en se rapprochant dangereusement.

Caroline n'avait pas la moindre envie de le repousser. Ni l'énergie de se battre. A quoi bon ? Toutes ses défenses venaient de voler en éclats.

Roman lui prit le visage entre les mains et riva son regard en sien.

— Si tu savais comme j'ai rêvé de vivre ce moment, chuchota-t-il dans un souffle.

— Dis-moi…

— Tu as vraiment envie de discuter ? demanda-t-il doucement, ses lèvres à quelques millimètres des siennes.

Les jambes de Caroline se dérobèrent. Heureusement, le miroir contre lequel elle était appuyée l'empêcha de tomber.

— Je ne t'embrasserai pas, ajouta-t-il. Je ne te toucherai pas.

— Roman, murmura-t-elle comme on dit une prière.

Le passé et le présent se confondaient. Elle ne savait plus comment elle devait se comporter. Elle ressentait un désir fou pour cet homme. Plus rien n'avait d'importance, excepté l'intensité de ce moment.

— Embrasse-moi, *angel moy*, ordonna-t-il tout bas. Tu dois faire le premier pas…

7.

Se hissant sur la pointe des pieds, Caroline déposa un baiser sur les lèvres de Roman — un baiser aérien, léger comme une plume.

— Je veux plus, murmura-t-il.

Incapable de résister à la tentation, elle glissa ses bras autour de son cou et se lova contre lui.

Roman fourragea dans ses cheveux, l'attira encore plus étroitement contre lui, puis il la souleva de terre et elle enroula ses jambes autour de son bassin. Un long baiser les réunit, puis il la reposa à terre.

— Pas ici, lui dit-il, pas comme ça.

— Ça m'est égal…, haleta-t-elle.

— Ça t'est égal maintenant, mais demain tu me haïras.

Frustrée à l'extrême, elle se retourna pour appuyer son front contre le miroir de la cabine d'essayage. Son cœur battait à un rythme fou et ses jambes tremblaient. Les yeux fermés, elle se concentra sur sa respiration. Puis, lorsque son souffle se fut apaisé, elle affronta de nouveau Roman.

— Je veux rentrer maintenant, lui dit-elle sèchement.

Il lui prit le menton pour lire dans ses pensées. Après l'avoir longuement dévisagée, il demanda :

— Pourquoi ce revirement d'attitude ?

— Ce n'est pas une bonne idée, souffla-t-elle.

— Pourquoi ? Nous éprouvons la même chose l'un pour l'autre. En quoi serait-ce un problème ?

Elle se baissa pour ramasser le sachet de truffes qui

lui avait échappé des mains et le serra contre sa poitrine comme un bouclier.

— Tu sais très bien quel est le problème, dit-elle la gorge serrée. Tu me détestes…

— Je ne te déteste pas, coupa-t-il sèchement.

Bouche bée, elle le dévisagea intensément. Ses yeux brûlant de fièvre la dévoraient. Elle eut soudain envie de se jeter dans ses bras, de le serrer contre elle pour oublier, ne serait-ce qu'un instant, le poids du passé.

— Je t'ai quitté… J'ai épousé un autre homme.

— Je le sais. Mais pour te détester, encore aurait-il fallu que je t'aime. Or je ne t'ai jamais aimée ; je l'ai seulement cru.

Après avoir proféré ce mensonge, Roman entraîna Caroline hors du magasin. Ils reprirent la route dans un silence oppressant. Plongé dans le passé, il conduisait comme un automate. Des images de leur ancienne passion partagée s'imposèrent à son esprit. Il avait aimé Caroline, mais mal. Pas étonnant qu'elle l'ait quitté. De retour à New York quelques années plus tard, il était convaincu qu'il la détestait. Puis ils s'étaient retrouvés et la flamme qui brûlait entre eux s'était ravivée. Leur étreinte dans la cabine d'essayage ne laissait planer aucun doute sur l'intensité de leur désir mutuel.

Pourquoi, dans ces conditions, avait-il repoussé Caroline ? Ne l'avait-il pas entraînée à l'écart dans le but précis de l'embrasser ? Avait-il cru qu'il leur serait possible de demeurer raisonnables ? Avait-il oublié la passion qui les animait autrefois dès que leurs peaux entraient en contact ? Aussitôt que Caroline avait posé les lèvres sur les siennes, il avait ressenti un désir fou. Comment avait-il pu lui résister lorsqu'elle l'avait serré à l'étouffer contre son corps ? Il avait tenu bon au prix d'un suprême effort. Lorsqu'il la posséderait de nouveau, il prendrait son temps. Il savourerait chaque seconde…

Une fois arrivé devant l'hôtel, il remit les clés de son

véhicule au voiturier. De l'autre côté de la rue, une horde de paparazzis guettait l'arrivée ou la sortie de célébrités. Dès qu'ils aperçurent Roman, ils se précipitèrent vers lui.

— M. Kazarov, que faites-vous à Los Angeles ? Avez-vous des projets de rachat ? La chaîne Hall's est-elle votre prochaine cible ?

Il les ignora et contourna la voiture pour ouvrir la portière à Caroline. Puis, très vite, tous deux s'engouffrèrent dans le hall de l'hôtel.

Une fois à l'abri dans leur pavillon privé, ils constatèrent que le plus grand calme régnait à l'intérieur.

— Blake a sans doute mis Ryan au lit, dit Caroline. Je crois que je vais aller me coucher…

Roman résista à la tentation de l'attirer dans ses bras, de l'embrasser encore et encore jusqu'à ce qu'elle rende les armes. Mais il devinait que le moment était peu propice. Elle voulait s'isoler, probablement pour calmer les émotions qui l'avaient submergée. Il pouvait le comprendre. Mieux valait laisser s'écouler un peu de temps avant de renouveler une expérience aussi forte.

Lui-même avait besoin de réfléchir. Il ne restait plus rien de la haine qui l'avait habité pendant cinq longues années, et cette nouvelle donne le déroutait. Il fallait à tout prix qu'il se concentre sur le travail. Au moins, dans ce domaine, il était en terrain sûr.

— Bonne idée, admit-il d'une voix un peu rauque. Demain matin, nous retournerons au magasin ; mais, cette fois, nous nous annoncerons.

Caroline détourna un court instant les yeux.

— Cela me convient parfaitement, déclara-t-elle.

— Bonne nuit, lui dit-il avant de tourner les talons.

— Bonne nuit, répondit-elle, d'un ton hésitant qui faillit lui faire rebrousser chemin.

Les poings serrés, il s'isola dans sa chambre.

*
* *

Caroline ignorait l'heure qu'il était lorsqu'elle abandonna l'espoir de s'endormir. Avec un profond soupir, elle repoussa les couvertures et se leva. Son cœur tambourinait dans sa poitrine depuis des heures, comme si elle avait avalé des litres de café.

Les événements survenus dans la soirée accaparaient toutes ses pensées. Elle revivait les scènes en boucle, depuis le moment où Roman avait demandé si les truffes étaient parfumées à la myrtille jusqu'à ce qu'ils se quittent pour aller se coucher. Elle aurait aimé revenir en arrière, effacer les erreurs qu'elle avait commises.

Comment avait-elle pu suivre Roman dans une cabine d'essayage et s'abandonner ainsi dans un lieu public ? S'il n'avait pas mis un terme à cette situation, elle se serait donnée à lui sans réserve. La honte lui vrillait l'estomac.

Après avoir enfilé un peignoir sur son pyjama de soie, elle se rendit dans la cuisine. La maison était calme, silencieuse. Elle sortit une bouteille de lait du réfrigérateur et en savoura plusieurs gorgées. Soudain, un bruit d'eau la fit sursauter : quelqu'un venait de plonger dans la piscine.

A pas feutrés, elle se dirigea vers les grandes portes-fenêtres qui donnaient sur le jardin et les entrouvrit. Un homme nageait un crawl puissant dans la piscine.

Roman !

Fascinée, elle l'observa parcourir plusieurs longueurs de bassin. Soudain, il disparut sous l'eau. Comme il tardait à réapparaître, son cœur s'arrêta. Folle d'angoisse, elle courut jusqu'à la piscine, prête à lui porter secours. Elle se débarrassa de son peignoir et, au moment où elle allait plonger, il sortit la tête de l'eau.

— Tu m'as fait horriblement peur !

Il lissa ses cheveux en arrière puis nagea dans sa direction.

— J'ignorais que tu étais là, lui dit-il en prenant appui sur le rebord du bassin.

— Ce n'est pas une excuse, lança-t-elle, furieuse.

— Je ne vois pas pourquoi je m'excuserais.

— J'ai cru… que tu te noyais.

— Merci de t'en être inquiétée. Pourtant, si je disparaissais, ce serait la fin de tous tes problèmes.

Elle voulut lui répondre vertement, mais elle s'abstint.

— Tu te moques de moi : ce n'est pas très gentil.

— Désolé.

— J'étais… inquiète, reprit-elle d'un ton mal assuré. Tu imagines ce qu'il se serait passé si tu t'étais noyé sous mes yeux ? Je suis certaine qu'on m'aurait accusée.

— Rassure-toi : je te promets de ne jamais me noyer en ta présence, ironisa-t-il.

— Je t'en suis reconnaissante, répliqua-t-elle avec un demi-sourire.

— Maintenant, je te conseille de te retourner si tu ne veux pas me voir sortir de l'eau dans le plus simple appareil.

Caroline resta bouche bée. Elle ne s'était pas rendu compte que Roman nageait nu. Comme elle rougissait, il ajouta en riant :

— Je n'ai pas vu l'utilité d'enfiler un maillot de bain en pleine nuit.

— Je te rappelle que nous ne sommes pas seuls dans cette maison. N'importe qui aurait pu te voir !

— A 3 heures du matin ? Et puis permets-moi de te rappeler qu'à part toi les autres occupants sont tous des hommes.

— Pour ta gouverne, sache que l'un d'entre eux… préfère les hommes aux femmes.

— J'avais deviné pour Blake. Mais je suis sûr qu'il est parfaitement conscient de l'attirance que tu exerces sur moi. Il n'a aucune chance !

— Ce n'est pas une raison.

— J'adore être nu… Tu t'en souviens, non ?

— Comment pourrais-je l'oublier ? protesta-t-elle.

— Alors, si tu ne veux pas que je m'exhibe devant toi, je te conseille de te retourner.

Caroline allait s'exécuter puis, jugeant ce geste puéril, elle se campa devant lui, les bras croisés sur la poitrine.

— Je ne suis plus une gamine, lui dit-elle d'un air de défi.

— Dans ce cas, si tu n'y vois pas d'inconvénient…

Sur ces mots, il prit appui sur le rebord du bassin et sortit de l'eau. Lorsqu'il se redressa devant elle, Caroline se pétrifia. Il était beau comme un dieu ! A la clarté de la lune, sa peau paraissait translucide. Sans sembler éprouver la moindre gêne, il passa devant elle pour récupérer une serviette abandonnée sur un transat, puis entreprit de se sécher.

Quelle erreur elle venait de commettre en ne se retournant pas ! La sueur perlait entre ses seins. Elle avait le souffle court, les yeux écarquillés, la bouche entrouverte. Elle savait que tout dans son attitude témoignait des émotions qui se jouaient en elle.

— Caroline, entendit-elle soudain.

— Oui... Quoi ? demanda-t-elle, la gorge serrée.

— Cesse de me regarder ainsi, ou alors décide-toi.

— J'ignore à quoi tu fais allusion, mentit-elle en rougissant.

Roman se contenta de la dévisager avec un petit sourire suffisant, puis il noua sa serviette de bain autour de ses hanches.

Elle ferma un instant les yeux tout en prenant une profonde inspiration. Elle était lasse de lutter. A quoi bon nier l'évidence ? Elle était faite de chair et de sang, et le désir qu'elle ressentait pour cet homme n'était pas feint. Ils étaient seuls, en Californie, dans un lieu de rêve. La nuit leur appartenait. Après s'être donnée à lui, peut-être pourrait-elle ensuite reprendre le cours de sa vie et gagner le combat dans lequel elle s'était engagée...

Elle sursauta lorsqu'elle vit Roman approcher dangereusement de l'endroit où elle se tenait. Quelques centimètres seulement les séparaient, à présent.

— Tu mens, lui dit-il dans un souffle.

— Oui, peut-être, admit-elle en plongeant le regard dans le sien. Et alors ?

— Alors, laisse-toi aller, *solnyshko.*

8.

Longtemps, ils demeurèrent face à face dans la nuit silencieuse. Ils étaient suffisamment proches pour se toucher, mais aucun d'entre eux n'ébaucha le moindre geste. Caroline était terrifiée, comme si quelque chose d'irrémédiable était sur le point de se produire. Peut-être allait-elle se perdre dans cette aventure. Elle avait fait tout son possible pour oublier Roman, sans y parvenir totalement ; au moins, avait-elle réussi à survivre à leur séparation.

Hélas, il était revenu…

— Une fois, murmura-t-elle. Juste une fois.

Contre toute attente, Roman demeura de marbre, le regard sombre, puis il secoua lentement la tête.

— Prends ce que tu veux. Mais comprends-moi bien : moi aussi je prendrai ce que je veux. Aussi souvent que je le souhaiterai. Cette fois, il n'y aura pas d'échappatoire. Tu ne pourras pas rentrer chez toi et prétendre que rien ne s'est passé entre nous.

Pouvait-elle accepter les conditions que fixait Roman ? Il n'y avait plus personne désormais pour lui dicter sa conduite, personne pour l'empêcher de vivre sa vie comme bon lui semblait.

— Je ne suis pas sûre de pouvoir accepter ce marché.

— Dans ce cas, sauve-toi, ma chérie. Cours vite te coucher et oublie-moi… si tu y arrives !

Caroline blêmit. A l'idée de se retrouver seule dans son lit, le corps brûlant de fièvre, le cœur brisé, des larmes lui brouillèrent la vue. C'était intolérable.

— Je… je n'ai pas eu de relation… depuis longtemps, lui avoua-t-elle d'une voix tremblante.

C'était plus vrai qu'il ne l'imaginait, mais elle ne pouvait pas lui dire que personne ne l'avait touchée depuis leur séparation, ce qui lui aurait révélé qu'il était le père de Ryan. Elle n'était pas prête à lui faire un tel aveu, pas tant qu'elle ignorait la réaction que cela provoquerait en lui.

— Je comprends, lui dit-il posément. Tu as peur. Mais nous ne sommes pas des inconnus, *solnyshko*. Je me rappelle très bien nos nuits d'amour… Toi aussi, j'en suis sûr.

— Cela remonte à cinq longues années. Tu as eu de nombreuses maîtresses depuis.

Doucement, il souleva son menton et vrilla son regard au sien.

— Aucune d'entre elles n'était toi.

— Ne dis pas des choses pareilles. Je pourrais avoir l'impression de compter pour toi.

— J'ai seulement envie de faire l'amour avec toi. Je ne veux pas te mentir. Ne te fais pas d'illusions.

— Quelle arrogance ! Mais rassure-toi, je ne te demande pas davantage.

Il préféra ne pas relever. Il se contenta de la dévisager intensément.

— Alors, que choisis-tu ? Le plaisir ou la solitude ?

Caroline savait que la solitude serait le meilleur choix — le plus sûr, tout au moins. Cependant, depuis des années, elle consacrait toute sa vie aux autres. Cette aventure risquait de la briser, mais elle ne pouvait pas résister à la tentation de connaître de nouveau le bonheur dans les bras de son premier amant.

— Embrasse-moi, dit-elle dans un souffle.

A ce signal, il glissa un bras autour de sa taille et l'attira contre lui. Puis il prit ses lèvres. Un long baiser les réunit. Un baiser tourmenté, empreint de désespoir. Jamais Roman ne l'avait embrassée de cette manière.

— Viens, souffla-t-il contre ses lèvres. J'ai besoin de rincer le chlore que j'ai sur moi.

Il l'entraîna jusqu'à la chambre qu'il occupait, puis dans la cour attenante, où se trouvait une douche extérieure. Après s'être débarrassé de sa serviette de bain, il attira Caroline toujours tout habillée et fit couler l'eau.

— Roman !

Sans tenir compte de sa protestation, il la serra contre lui et l'embrassa de nouveau avec fougue, embrasant ses sens. Avec des gestes sûrs, il fit glisser son peignoir sur ses épaules, puis déboutonna son haut de pyjama. Pour la première fois depuis longtemps, Caroline se sentit vivante, libre, débarrassée de toutes ses inhibitions. Seul le plaisir de cet instant magique comptait. Lorsqu'elle fut nue à son tour, elle se laissa glisser à genoux et prit le sexe tendu de Roman entre ses lèvres.

— Caroline, non ! dit-il d'une voix rauque.

Mais elle n'en tint pas compte. Elle voulait que Roman rende les armes, le tenir à sa merci, lui donner un plaisir inouï, fulgurant. Lorsqu'il s'abandonna à sa caresse, un râle s'échappa de ses lèvres. Elle se releva doucement et se pressa contre lui.

— Je n'avais pas prévu que ça se termine comme ça, dit-il.

— J'ignorais qu'il y avait des règles à respecter, le taquina-t-elle.

— S'il y en avait, tu les as toutes ignorées !

Si elle avait pensé sortir victorieuse dans cette guerre des sens, elle s'était trompée. Roman entreprit de la savonner sous le jet de la douche, la faisant défaillir de plaisir. Ses caresses lui infligeaient une délicieuse torture. Ses doigts glissaient sur sa peau, lui arrachant des gémissements.

— Roman… Roman…

Lentement, doucement, il continua de la caresser, une main pressée contre son pubis. Puis il accentua la pression de ses doigts sur son clitoris, qu'il massa jusqu'à ce qu'elle crie de plaisir.

Tremblante, Caroline se lova contre lui pour reprendre son souffle.

— Ne me remercie pas, encore, dit Roman d'un ton amusé, car c'est loin d'être terminé.

Il stoppa l'eau puis tous deux se séchèrent rapidement. Avant qu'elle ne puisse s'y opposer, il la souleva de terre et gagna sa chambre.

Caroline nicha la tête dans son cou, émue par cette délicate attention. Elle devait l'admettre : la douceur, la tendresse dont il l'entourait à cet instant précis lui faisaient plaisir. Elle avait l'impression d'être une petite chose fragile qui devait être maniée avec beaucoup de précautions.

Lorsqu'il l'allongea sur le lit et s'étendit sur elle, un feu intense se répandit dans son corps. Elle l'entoura de ses bras et pressa les lèvres sur son torse ; il la repoussa doucement.

— Pas cette fois. Je veux prendre mon temps.

Lentement, avec une sensualité extrême, ses lèvres effleurèrent son cou, sa poitrine, glissèrent jusqu'à son ventre. Bouleversée, Caroline haleta sous la torture que lui infligeaient la bouche et la langue de son amant. Il se releva et positionna son membre dressé contre l'entrée de sa féminité. Elle se cambra, prête à l'accueillir en elle.

— Roman… Viens !

A ce signal, il la pénétra avec douceur.

— Oh mon Dieu, gémit-elle.

— Doucement, murmura-t-il à son oreille. Profitons pleinement de ce moment…

Il accéléra le rythme. Ils se mirent à onduler de concert sur les vagues de leur plaisir, bouche contre bouche. Au moment où le sexe de Roman grossit encore en elle en une lente pulsation, elle sut qu'elle allait exploser de plaisir.

— Ouvre les yeux, Caroline, je veux te voir jouir…

Une vague d'effroi se mêla à son orgasme naissant. S'il croisait son regard, Roman saurait à quel point elle était vulnérable en cet instant précis : toutes ses défenses s'étaient volatilisées. Mais elle lui obéit et se noya dans la profondeur de ses yeux brûlants.

Ils étouffèrent leur cri simultané dans un baiser passionné.

*
* *

Longtemps, ils demeurèrent enlacés, reprenant lentement leur souffle. Lorsqu'elle reprit pied dans la réalité, Caroline angoissa. Qu'avait-elle fait ? Comment avait-elle pu s'abandonner ainsi dans les bras de l'homme qui lui avait donné un enfant dont il ignorait tout et qui n'avait qu'un but : la déposséder de ses magasins ?

Sans doute conscient de la tension subite qui l'habitait, Roman leva la tête pour la dévisager.

— Qu'y a-t-il ?

— Je veux retourner dans mon lit. Je...

— *Niet.*

— Je ne veux pas que Blake sache.

Roman étouffa un juron puis se dégagea de son étreinte. Aussitôt, elle fut parcourue de frissons glacés. Résistant à l'envie de se blottir de nouveau contre lui, elle s'assit et agrippa le drap pour masquer sa nudité.

— Je ne sais pas ce qui se passe entre nous, reprit-elle. Comment puis-je expliquer la situation à Blake si je ne la comprends pas moi-même ?

— Tu n'as pas à te justifier auprès de lui. Il est payé pour s'occuper de ton enfant, c'est tout.

— C'est un ami... Et il était l'ami de Jon.

Roman lui jeta un regard glacial.

— Tu penses à ton mari et à ce que son ami pourrait penser ? Bon sang, Caroline, Jon est mort depuis plus d'un an ! Personne ne te reprochera de reprendre le cours de ta vie.

Elle posa la tête sur ses genoux.

— Je ne sais pas pourquoi je suis là avec toi, dit-elle d'un ton très bas. Pourquoi je n'arrive pas à te résister alors que je le devrais. Il y a trop de douleur et trop de colère entre nous. J'ai peur que cela se termine mal pour moi... pour nous deux.

Son amant l'attira dans ses bras sans qu'elle oppose la moindre résistance. Au contraire, elle l'enlaça étroitement et posa la tête sur son torse. Elle l'entendit soupirer et ferma les yeux pour mieux s'enivrer du parfum de sa peau.

— Peut-être que ça ne finira pas mal, dit-il. Ce sera peut-être différent, cette fois.

9.

Roman s'éveilla en sursaut bien avant l'aube, se demandant ce qui avait bien pu perturber son sommeil. Un rêve, sans doute. Caroline reposait à son côté en chien de fusil. Elle dormait profondément, comme en témoignait son souffle régulier.

Elle n'avait pas fui, constata-t-il avec un sourire. Peut-être s'était-elle sentie rassurée lorsqu'il lui avait dit que leur histoire ne finirait pas mal, cette fois.

Il s'étonnait d'avoir prononcé de telles paroles, même si elles avaient été sincères : leur histoire ne finirait pas mal *pour lui*. Il avait la ferme intention de sortir victorieux de cette aventure ; que Caroline en souffre l'indifférait complètement. Toutefois, lorsqu'il l'avait serrée étroitement contre lui, quand elle s'était abandonnée en toute confiance, son instinct protecteur s'était réveillé. Il aurait aimé que ce moment ne cesse jamais.

Quelle folie !

Comment pouvait-il éprouver de la tendresse pour cette femme après ce qu'elle lui avait fait subir ? Il lui avait offert son cœur, l'avait demandée en mariage et elle l'avait rejeté. Sans doute même avait-elle éprouvé de la *pitié* à son égard — et pitoyable, il l'avait été. Comment avait-il pu prétendre s'unir à une Sullivan ?

Cependant, lorsque leurs corps avaient fusionné, Roman avait tout oublié de leur sombre passé. Ils s'étaient donnés l'un à l'autre avec fougue.

Il savait que désirer autant une femme était dangereux.

Jamais il n'avait commis ce type d'erreur avec d'autres. Mais Caroline lui inspirait une passion dévorante. Pourquoi avait-il fallu qu'il cède encore à cette pulsion destructrice qui le jetait dans les bras de cette femme ?

Il imagina Caroline et Jon ensemble, mariés, partageant une tendre intimité. A l'idée qu'elle ait pu éprouver du plaisir avec cet homme, un coup de poignard lui lacéra la poitrine — et l'ego. Il pensa à l'enfant qui était né de leur union. C'est à peine s'il pouvait soutenir le regard de ce petit garçon. Le simple fait qu'il existe le torturait plus que tout le reste.

Déterminé à chasser ces sombres pensées, il se redressa dans le lit. Du travail l'attendait avant de retourner au magasin Sullivan. Il possédait des sociétés dans le monde entier et, pour certaines, la journée de travail était déjà bien avancée. S'il souhaitait se tenir informé, il devait garder le contact avec chacune. Sans compter que son plan en vue de conquérir le groupe Sullivan n'avait pas encore abouti. Pour l'heure, il devait s'armer de patience. Mais il avait la conviction que l'entreprise ne parviendrait pas à honorer ses paiements dans les temps. Une fois la saisie opérée, il devait affiner la manière de récupérer son investissement.

— Quelle heure est-il ? demanda Caroline d'une voix ensommeillée.

— Presque 6 heures.

Elle posa une main sur son torse et se mit à le caresser doucement.

— Devons-nous nous lever maintenant ?

— Il est tôt. Tu peux dormir encore, *solnyshko.*

— Ce n'est pas à cela que je pensais…

— A quoi pensais-tu alors ? demanda-t-il d'une voix rauque.

— Devine…, fit-elle d'une voix mutine.

Roman l'enlaça étroitement. Ils s'étreignirent alors avec force, jusqu'à ce que leurs deux corps ne fassent plus qu'un. A cet instant, plus rien n'avait d'importance pour lui, et il avait la certitude qu'il en allait de même pour sa sensuelle maîtresse.

*
* *

Caroline étouffa un bâillement lorsque Roman et elle prirent place dans la salle de réunion du grand magasin de Los Angeles. Malgré l'importance de cette rencontre avec le directeur général, elle ne cessait de penser à la nuit qu'elle venait de passer avec Roman, à leurs étreintes brûlantes, à la manière dont elle s'était donnée à lui. Elle avait l'impression de sentir encore ses mains sur elle, ses lèvres sur sa peau, de respirer son odeur.

Assis en face d'elle, il consultait fréquemment son ordinateur, posait des questions de temps à autre. Elle aurait dû ressentir de la colère à son égard ; or, curieusement, elle ne lui en voulait pas. Il avait eu raison de l'entraîner sur le terrain afin qu'elle se fasse une idée précise de la situation. Le grand magasin de Los Angeles donnait d'excellents résultats. Son emplacement expliquait en partie ce succès, mais ce n'était pas le seul critère à prendre en compte. La direction avait beaucoup investi sur la formation des équipes et mis en place une politique de rémunération attractive. Les employés avaient pleinement conscience de leur contribution à la réussite du magasin et leur engagement était total. Les clients appréciaient la qualité du service qui leur était offert ; par conséquent, ils n'avaient aucune raison d'aller faire leurs courses ailleurs.

Caroline se promit d'interroger les autres magasins sur leur politique à l'égard du personnel. Elle programma quelques visites sur son agenda, puis leva les yeux vers Roman. Lorsqu'elle croisa son regard brûlant, elle tressaillit. Pas de doute, le souvenir de leur nuit torride était encore vivace dans son esprit aussi.

Le désir s'insinua en elle. Elle avait envie qu'il la transporte au septième ciel, encore et encore, comme ce matin. Elle avait eu beaucoup de mal à le quitter pour aller prendre sa douche et s'habiller, avant de retrouver Blake et Ryan à la table du petit déjeuner.

Gênée par son escapade nocturne, elle aurait préféré

que Roman les rejoigne, mais il s'en était abstenu. Il avait fait un passage éclair dans la cuisine pour se servir une tasse de café, puis il s'était enfermé dans son bureau. Elle ne l'avait pas revu avant leur départ pour le magasin. Cette fois, il avait opté pour une limousine avec chauffeur pour se rendre au centre commercial.

Soudain, alertée par le silence qui régnait dans la salle de réunion, Caroline reprit pied dans la réalité. La présentation du directeur général étant achevée, son tour était venu de prendre la parole.

— Merci, monsieur Garcia, dit-elle avec un sourire. Et je vous remercie aussi de nous avoir accordé du temps aujourd'hui. Votre magasin est un modèle de réussite qui mérite d'être applaudi.

Elle serra la main de toutes les personnes présentes, puis Roman et elle prirent congé. Tous deux parcoururent de nouveau les différents rayons du magasin avant de reprendre la route de leur hôtel.

Caroline vécut un enfer pendant tout le trajet tant le désir qu'elle éprouvait pour Roman la torturait. La nuit qu'ils avaient passée ensemble ne l'avait apaisée en rien. Au contraire, elle n'avait qu'une envie : tout oublier et s'abandonner à ses caresses.

— Cette rencontre s'est bien passée, je trouve, dit-elle, luttant contre ses émotions.

Roman se tourna vers elle. Le regard qu'il lui adressa, mi-songeur, mi-interrogateur, lui rappela celui de Ryan ; elle en eut le souffle coupé. Un jour, elle devrait s'armer de courage et lui dire la vérité. Elle ne pourrait pas différer éternellement cette décision, elle le savait à présent.

Un jour, oui, mais quand ? Elle n'en avait aucune idée. Et il fallait qu'elle se prépare à affronter les conséquences de cet aveu. A cette idée, une bouffée de stress la saisit.

— Il s'agit d'un seul magasin, Caroline.

— Je sais, admit-elle.

Roman soupira.

— Je ne voudrais pas que tu te fasses des idées, *angel moy*. Le groupe Sullivan est en grande difficulté.

Son sang se glaça. Leur nuit d'amour n'allait pas effacer le contentieux qui les opposait. Par ailleurs, elle ne voulait bénéficier d'aucun traitement de faveur sous prétexte qu'ils étaient amants.

— J'en suis consciente, mais la réussite de ce magasin me redonne espoir. Nous honorerons nos paiements, je te le garantis.

— Oublions les affaires, proposa-t-il en passant un bras autour de ses épaules.

Caroline se laissa aller contre lui et posa la joue sur sa poitrine. Roman resserra son étreinte.

— Nous avons passé la matinée et une partie de l'après-midi à parler travail, c'est amplement suffisant.

— Pas toute la matinée, lui rappela-t-elle avec un petit rire.

— C'est vrai.

Il l'embrassa avec beaucoup de tendresse. Lorsque leurs lèvres se séparèrent, il murmura :

— Nous avons toute la nuit devant nous. J'ai bien l'intention d'en profiter.

— J'ai hâte d'y être…

Il se redressa pour la regarder dans les yeux.

— Tu penses ce que tu dis ?

— Je ne sais pas trop où j'en suis, Roman. Mais tu as raison : il est temps que je reprenne le cours de ma vie.

— Je suis désolé que tu aies perdu ton mari. Cela n'a pas dû être facile pour toi.

Caroline détourna la tête pour lui cacher son trouble et ce sentiment de culpabilité qui ne la quittait pas.

— En effet, admit-elle. Jon était un homme bon, un ami très cher…

— Je me souviens de lui. Je le connaissais peu, mais je l'appréciais.

— Nous n'étions pas faits l'un pour l'autre, lui avoua-t-elle soudain, mais nous avons essayé.

— Pour le bien de votre enfant.

Caroline hocha doucement la tête. Elle n'osait toujours pas lever les yeux vers lui, de peur qu'ils ne la trahissent.

— Mes parents aussi ont essayé. Ce fut un désastre, lui dit Roman d'un ton très bas.

Elle lui prit la main et la serra entre les siennes.

— Cela me peine.

— Mon père était alcoolique. Je ne pense pas que Jon ou toi ayez eu ce problème.

— Non.

La nausée l'étreignit en songeant à l'enfance malheureuse qu'avait vécue Roman. Jamais il n'avait évoqué son passé pendant leur relation. La confiance qu'il lui témoignait l'émouvait et l'étonnait à la fois.

— Pour lui, les enfants représentaient un fardeau, reprit-il. Et aussi une arme redoutable contre ma mère. Nous aurions été beaucoup plus heureux si elle l'avait quitté. Mais elle ne l'a jamais fait.

— Sont-ils toujours ensemble ?

— D'une certaine manière, oui. Ils sont morts tous les deux.

— Mon Dieu…

— C'est la vie. On n'y peut rien.

Caroline songea à ses propres parents dans leur grande maison de Southampton, à son père qui sombrait dans la sénilité au point d'oublier toutes les personnes qui lui étaient chères et elle eut envie de pleurer. Sa mère gérait la situation avec courage, mais elle en payait le prix fort. Son sourire, si joyeux autrefois, s'était éteint.

— J'ai appris que la vie pouvait être cruelle, dit-elle, la gorge serrée. Personne n'est à l'abri des désillusions.

— *Da.*

Roman tourna la tête vers la vitre, et le silence régna dans la voiture jusqu'à leur arrivée à l'hôtel. Le chauffeur emprunta une allée privée pour éviter la grappe de paparazzis postée devant l'entrée principale. C'était mieux ainsi : elle ne se sentait pas le courage d'affronter leurs regards inquisiteurs. Comment auraient-ils interprété l'expression de son visage ?

Auraient-ils vu à quel point elle était troublée ? Auraient-ils deviné les sentiments qui l'unissaient à Roman ou, pire encore, son terrible secret ?

Lorsqu'ils pénétrèrent dans leur pavillon privé, ils furent accueillis par des cris et des rires qui provenaient de la piscine. Roman s'immobilisa au milieu du salon, l'air sévère.

— Je vais aller voir ce que font Blake et Ryan, dit Caroline. Tu m'accompagnes ?

— Non. J'ai du travail.

Caroline soupira, puis elle ouvrit la porte qui donnait sur la terrasse. L'attitude de Roman la désolait, mais elle pouvait comprendre ses réticences. Il n'était pas habitué à la compagnie des enfants. Elle aurait pourtant aimé qu'un contact s'établisse entre Ryan et lui avant de lui avouer la vérité.

— Maman, regarde ce que je sais faire ! s'écria Ryan en l'apercevant.

— Ne cours pas, intervint Blake.

Assis au bord du bassin, le jeune homme surveillait les moindres gestes de l'enfant dont il avait la garde.

— Maman, regarde ! répéta Ryan avant de sauter dans l'eau en se bouchant le nez.

— Magnifique ! s'écria Caroline. Bravo ! Tu es un grand garçon, maintenant. Bientôt, tu nageras sans tes brassards. Je suis fière de toi.

— Je sais sauter en arrière aussi, répondit son fils avec un sourire ravi. Tonton Blake m'a appris à le faire.

Elle les rejoignit au bord de la piscine. Blake aida Ryan à sortir de l'eau.

— J'ai faim. On peut manger une pizza, maman ?

— D'accord, lui répondit-elle en lui ébouriffant les cheveux.

Pendant qu'elle le séchait vigoureusement avec une serviette de bain, Ryan se mit à lui raconter ses divers exploits. Elle le félicita avec force encouragements. Soudain, Ryan se figea. Caroline suivit son regard et découvrit Roman, posté sur la terrasse, les bras croisés sur le torse. Il les observait.

Mal à l'aise, elle se tourna vers Ryan :

— Que disais-tu, mon chéri ?

Il reprit son récit, mais ses yeux ne quittaient pas Roman. Elle l'enveloppa dans une serviette.

— Voilà, lui dit-elle en se redressant. Va t'habiller maintenant, si tu veux que nous la mangions, cette pizza.

— Oui ! s'écria le gamin en courant vers la maison, malgré les injonctions de Blake — qui le suivait de près.

Lorsqu'ils eurent disparu, Caroline rejoignit Roman, toujours posté au même endroit. Il ne la quittait pas des yeux. Son air sombre ne présageait rien de bon. Il fit glisser les portes-fenêtres derrière lui afin qu'on ne puisse les entendre depuis la maison. Tendue à l'extrême, elle soutint son regard noir mais n'en menait pas large.

— Dis-moi que je me trompe, grinça Roman entre ses dents serrées.

— De quoi parles-tu ?

Il serrait les poings, comme habité par une colère effroyable qu'il se retenait de ne pas laisser éclater. Il ne ressemblait plus à l'homme tendre qui la serrait contre lui dans la limousine quelques minutes plus tôt.

— J'ai deux frères, reprit-il d'un ton sec. Dimitri et Nikolaï. Enfants, nous allions souvent nous baigner à la piscine de Moscou. C'était notre rituel estival, notre manière à nous de nous échapper.

Il se tut un instant ; on aurait dit qu'il cherchait à rassembler ses souvenirs.

— Il m'a semblé reconnaître l'un de mes frères en regardant ce gosse dans la piscine. Il y a quelque chose en lui, dans ses expressions, dans sa manière de se mouvoir, qui ne m'est pas inconnu.

— Ce *gosse* s'appelle Ryan, déclara Caroline en fronçant les sourcils.

— Et c'est le fils que tu as eu avec Jon Wells, rétorqua-t-il, en articulant chaque syllabe.

Caroline vacilla, soudain faible. Cette fois, il n'y avait plus d'échappatoire. L'heure de vérité avait sonné. Trop tôt, hélas…

— Jon était homosexuel, s'entendit-elle dire.

Aussitôt, toute couleur quitta le visage de Roman. Il la toisa comme si elle l'avait frappé. Il prit le temps d'inspirer profondément avant de demander :

— Qu'es-tu en train de me dire, Caroline ? Exprime-toi clairement, afin qu'il n'y ait aucun malentendu.

— Tu le sais très bien.

— Je veux quand même te l'entendre dire. Parle !

La tension était extrême entre eux, mais elle réussit à ne pas flancher.

— J'étais enceinte lorsque j'ai épousé Jon, dit-elle, choisissant ses mots avec soin. Ryan est ton fils, pas le sien.

10.

Roman peinait à respirer. Ses poumons lui semblaient sur le point d'exploser. Cette femme lui avait menti pendant des années en lui cachant qu'il était le père de son enfant. Il avait envie de l'étrangler à mains nues…

— Je ne l'ai pas su avant ton départ, expliqua-t-elle, les yeux pleins de larmes. Tu étais rentré en Russie. Je n'avais aucun moyen de te contacter.

Il serra les poings. Pendant des années, il avait lutté contre la rage qui l'avait englouti lorsque Caroline l'avait rejeté. Il avait bataillé dur pour ne pas ressembler à son père, et pourtant, aujourd'hui, il avait des envies de meurtre.

— Parce que tu aurais essayé de le faire ! Tu espères me faire croire ça ?

Caroline secoua la tête, à l'agonie ; les larmes continuaient à inonder son visage.

— Bien sûr que non.

Roman bouillait intérieurement, mais il n'en laissa rien paraître. Caroline l'avait doublement trahi et ne méritait aucune compassion. Désormais, il se le tiendrait pour dit. Peu importait cet air pitoyable qu'elle affichait : elle ne parviendrait plus à l'émouvoir.

— Je suis parti parce que je n'avais pas le choix. Parce que ton père m'a licencié et que mon visa de travail n'était plus valable.

Caroline baissa la tête un instant, puis elle la releva pour le regarder dans les yeux.

— Je l'ignorais. Je suis désolée…

Désolée ? songea Roman en luttant pour ne pas hurler sa colère.

— J'ai tout perdu, Caroline. Mon travail, mon logement, toi. Je suis rentré sans rien en Russie, avec moins que rien, devrais-je dire. Ce fut une période… affreusement difficile.

Elle joignit les mains en un geste de prière.

— Je ne voulais pas te quitter, Roman. Mais il fallait que j'épouse Jon. C'était la seule manière de sauver le groupe Sullivan. Ses parents possédaient la majorité des parts à cette époque et ils menaçaient de les vendre à un concurrent si ce mariage n'avait pas lieu.

Roman la dévisagea longuement, puis il partit dans un grand rire cynique.

— Le groupe Sullivan ! Bien sûr. C'est la seule chose qui ait jamais compté pour toi.

— De nombreuses personnes auraient perdu leur emploi, ma famille risquait la faillite : je ne pouvais pas accepter cela.

— As-tu couché avec moi hier dans l'espoir de m'attendrir ? Pour sauver tes précieux magasins ? Ce serait dommage, car cela n'arrivera pas, très chère. Jamais !

Caroline accusa le coup puis se ressaisit. Elle releva fièrement le menton.

— Je n'ai pas couché avec toi pour sauver le groupe Sullivan. Je sais que tu es bien trop impitoyable pour qu'un tel stratagème fonctionne. J'ai observé de loin tes manigances, ces deux dernières années. Je savais qu'un jour tu t'attaquerais à nous. Je l'ai toujours su.

— J'achète des entreprises en difficulté, se défendit Roman. Tout le monde le sait.

— En effet. Comme moi, je savais qu'un jour le groupe Sullivan serait ta cible.

Il reçut cette vérité en pleine face telle une gifle. Caroline ne se trompait pas : il rêvait depuis longtemps d'acquérir cette entreprise qui l'avait conduit à la ruine et avait précipité sa mère dans la misère.

— Je suis un homme d'affaires, rétorqua-t-il. Je ne prends jamais de risques démesurés.

— Sauf pour t'attaquer à moi !

Il fit un pas vers elle, puis il s'immobilisa, pétri de rage. Cette femme était incroyable ! Elle avait commis l'irréparable en lui cachant l'existence de son enfant et elle continuait à se battre bec et ongles pour ses précieux magasins. Les bras croisés sur la poitrine, elle le défiait. Roman observa son visage altier, luttant contre les émotions qui l'assaillaient.

— Depuis deux ans, tu aurais pu me contacter. Pourquoi ne pas l'avoir fait ?

Il vit des larmes perler de nouveau à ses paupières.

— Comment aurais-je pu ? Jon, Ryan et moi formions une famille. Quand tu es apparu dans la sphère financière internationale, Jon luttait déjà contre la maladie. Nous savions l'un comme l'autre qu'il était condamné. J'avais d'autres soucis à ce moment-là…

— En tout cas, je sais maintenant pourquoi tu as menti sur ton adresse, le soir de nos retrouvailles.

Caroline baissa de nouveau la tête.

— Je te l'aurais dit, mais je ne savais pas quand ni comment. J'imagine que tu ne me crois pas…

Un bruit les fit sursauter. En se retournant, Roman aperçut Ryan, les mains posées à plat sur la vitre, les yeux rivés sur sa mère. Les traits de son visage le frappèrent de nouveau en plein cœur. Comment avait-il pu ignorer leur ressemblance ? A présent qu'il connaissait la vérité, il n'y avait plus aucun doute possible : cet enfant était un Kazarov. Il avait ses yeux, son nez… Mais il ressemblait à Caroline aussi : le même menton, la même forme de mâchoire, les cheveux blonds.

Comme s'il avait perçu la tension qui régnait sur la terrasse, Ryan tourna la tête vers lui, les yeux agrandis par l'effroi. Roman manqua d'air soudain. Il avait un enfant… un enfant qui avait peur de lui. Cette idée lui infligea une douleur atroce.

— Pourquoi ce gosse est-il aussi effrayé ? demanda-t-il à Caroline.

Elle essuya furtivement les larmes qui lui brouillaient la

vue et sourit à Ryan pour le rassurer, lui faire comprendre que tout allait bien.

— Il a toujours été un peu timide, expliqua-t-elle. C'est sa personnalité.

Roman prit une profonde inspiration.

— As-tu la moindre idée de ce que je ressens ? souffla-t-il.

Elle hocha la tête d'un air contrit.

— Je sais… Je suis désolée.

Roman étouffa un juron en russe, puis se passa une main nerveuse dans les cheveux.

— Dire que tu es désolée ne résout rien !

— C'est vrai.

— Tu n'as aucune excuse, vraiment aucune.

Il ressentait un mélange de douleur, de colère, de peur, et un profond dégoût pour tout ce gâchis. Soudain, la porte derrière lui coulissa et Ryan se précipita dans les jambes de sa mère.

— Tout va bien, mon chéri, dit celle-ci pour le rassurer.

Puis elle se baissa à sa hauteur pour le serrer dans ses bras.

— Et si on allait la manger, cette pizza ? lui demanda-t-elle.

Le gamin hocha la tête.

— Alors, allons-y. M. Kazarov pourrait se joindre à nous, qu'en dis-tu ?

Ryan se blottit contre elle sans répondre. Cette forme de rejet blessa Roman, qui ne s'attendait pas à ressentir une émotion aussi violente.

— J'ai du travail, lâcha-t-il d'un ton sec. Dînez sans moi.

Il les quitta et se dirigea vers son bureau, où il s'enferma. Son monde venait de voler en éclats. Rien ne serait plus jamais pareil. A présent, il devait réfléchir à son avenir…

Après être allée déguster une pizza en ville avec Ryan et Blake, Caroline se remit au travail. Installée sur un canapé du salon, elle consultait ses dossiers pendant que son fils et son précepteur jouaient à un jeu de société. Soudain, Roman se matérialisa à son côté.

— Nous partons, lui dit-il sèchement.

— Quand ?

— Dans deux heures environ.

Il paraissait si froid, si imperméable à toute émotion qu'elle faillit éclater en sanglots. Leur trêve n'avait pas duré longtemps. Elle avait naïvement espéré qu'un réel rapprochement se serait opéré entre eux. Roman avait baissé la garde avec elle en lui confiant des bribes de son enfance malheureuse, en lui parlant de ses parents. A l'époque de leurs premières amours, elle ne l'avait jamais interrogé sur son passé. Elle ne pensait qu'à elle, qu'aux sentiments qu'il lui inspirait.

— Ce départ est-il vraiment judicieux ? demanda-t-elle. Ryan doit se coucher dans une heure.

— Nous voyageons à bord d'un avion privé, rétorqua froidement Roman. Il pourra dormir.

Caroline renonça à lutter.

— Quelle est notre prochaine destination ?

— Les visites de magasins sont terminées.

— Je croyais que Los Angeles n'était qu'un point de départ, s'étonna-t-elle.

— Ça, c'était avant. Il me semble que la situation a changé, non ?

— J'ai quand même besoin de faire un état des lieux, lui opposa-t-elle.

Les traits de Roman se durcirent.

— Tu n'as aucune chance de t'en sortir. Ne le comprends-tu pas ? Tu ne pourras jamais payer ce que tu dois.

— Il me reste un peu plus d'une semaine de délai. Je ne vais pas abandonner avant d'avoir tout tenté.

— Tu peux travailler depuis n'importe où dans le monde. Tu as un ordinateur, un téléphone portable : tu peux organiser des conférences à distance. Je te suggère d'utiliser ces outils, car nous ne rentrons pas à New York tout de suite.

Caroline était gagnée par une colère froide.

— Tu ne peux pas me forcer à t'accompagner où bon

te semble, Roman. J'ai des responsabilités. Blake et Ryan ont leur…

— Vraiment, Caroline ? coupa-t-il à voix basse. Aurais-tu oublié que la donne a changé ? Cet enfant est aussi le mien.

Une vague d'angoisse l'emporta. Cette fois, elle devait se faire une raison : rien ne serait jamais plus pareil.

— Tu n'as pas le droit de chambouler la vie d'un enfant de cette manière.

— Tu as bien chamboulé la mienne ! Nous partons dans deux heures. Je te conseille de te tenir prête.

11.

Ils avaient voyagé toute la nuit et l'aube pointait à l'horizon. Par le hublot, Caroline n'apercevait que du bleu : ils survolaient un océan.

Prise de panique, elle se demanda quelle était leur destination. Roman les emmenait-il en Russie ? Avait-il pour objectif de la séparer de Ryan ? Au moment d'embarquer, cette idée ne l'avait pas effleurée. Quel plan machiavélique avait-il en tête ?

Soudain, elle aperçut un chapelet d'îles au milieu de l'océan turquoise. Elle n'aurait su dire pourquoi elle avait l'impression qu'ils étaient au-dessus des Caraïbes.

Après leur atterrissage, une camionnette les conduisit, par des routes désertiques au milieu d'une forêt tropicale, dans une magnifique demeure qui donnait sur une plage.

— Cet endroit t'appartient-il ? demanda Caroline.

C'étaient les premiers mots qu'elle adressait à Roman depuis leur départ de Los Angeles, des heures plus tôt.

— En effet, finit par répondre Roman.

Elle découvrit que la maison comptait un seul niveau ; elle formait un gigantesque carré, auquel on accédait par une galerie fleurie. Caroline n'avait jamais vu une telle profusion de géraniums, bougainvilliers et hibiscus. D'immenses palmiers projetaient leurs ombres sur le patio central.

— Sur quelle île sommes-nous ?

— La mienne.

— Quoi ? s'exclama-t-elle. Toute l'île t'appartient ?

— Ce lieu de villégiature est strictement privé, à l'abri des paparazzis. Ryan et toi serez tranquilles. Nous accueillons des stars de cinéma, des politiciens, des chefs d'Etat, des milliardaires. Quiconque peut s'offrir un séjour dans l'une des villas que compte le lieu. Celle-ci est réservée à mon usage.

Caroline comprenait le choix de Roman : dans un tel endroit, personne ne les traquerait. Ils pourraient agir à leur guise sans craindre de faire la une des journaux.

— J'ignorais que de tels endroits existaient, dit-elle en admirant la mer à l'horizon.

— J'ai envie d'aller sur la plage, maman, intervint Ryan, mais tonton Blake n'est pas d'accord.

Accroché à sa jupe, il la regardait avec de grands yeux pleins d'espoir.

— Ryan Nicholas Wells, dit-elle fermement, tu sais très bien que tu dois obéir à ton oncle Blake et que, s'il te dit non, il est inutile de chercher une réponse différente de ma part. Est-ce clair ?

Ryan baissa la tête, l'air déçu.

— Oui, maman.

— A présent, va avec tonton et fais ce qu'il te dit.

Une femme vêtue d'une robe tropicale vint à leur rencontre.

— Soyez les bienvenus sur l'île San Jacinto !

Elle les invita à la suivre dans le patio, où les attendaient des rafraîchissements. Leur cocktail de fruits à la main, Blake et Ryan prirent la direction de la maison. Caroline s'apprêtait à les suivre lorsqu'elle sentit peser sur elle le regard noir de Roman.

— Son nom devrait être Kazarov, dit-il sèchement.

— Ce n'était pas possible. Tu étais parti.

— Je n'ai pas eu d'autre choix : je n'avais plus de visa.

Caroline tourna la tête vers la mer qui moutonnait au loin. L'air tropical, empreint de senteurs exquises, lui ébouriffait les cheveux. Dans d'autres circonstances, elle aurait apprécié ce voyage.

— Je l'ignorais à ce moment-là, soupira-t-elle.

— De toute façon, tu n'avais qu'un objectif : sauver tes précieux magasins. Tu as épousé Jon dans ce but. Tu ne m'aurais jamais dit la vérité, de peur que j'empêche cet arrangement.

Roman la fusillait du regard. Il avait raison : elle n'aurait pas compromis le plan établi ; cependant, si elle avait su qu'elle était enceinte de lui, elle aurait trouvé une solution, elle en était certaine.

— Je n'ai fait que mon devoir…

— J'ai moi aussi l'intention de faire le mien désormais. Tu m'as tout pris, Caroline. A partir de maintenant, je veux exister pour mon enfant. Et je tiens à ce qu'il soit un Kazarov.

Il avança vers elle, l'air menaçant. Aussitôt, Caroline se raidit, le souffle court. De la sueur perlait à son front, mais l'air des Caraïbes n'y était pour rien.

— Son certificat de naissance porte le nom de Wells, protesta-t-elle, inquiète.

— Nous allons rectifier la situation. Nous donnerons mon nom à Ryan.

— Que veux-tu dire ?

— Tu le sais très bien.

Stupéfaite, elle prit le temps de digérer l'information avant de répondre.

— Tu… tu ne peux pas m'épouser. Tu es un séducteur-né. Tu ne te rangeras jamais. Une famille, une vie maritale, ce n'est pas ce que tu souhaites.

— Comment peux-tu savoir ce que je veux ? Tu ne l'as jamais su.

Sur ces mots, il la toisa de toute sa hauteur, les mains enfoncées dans les poches de son pantalon.

— Nous trouverons une issue, insista Caroline. Cela prendra du temps, mais nous y parviendrons. Et je ne t'empêcherai pas de voir ton fils.

Un mariage entre eux était impossible. Comment pourrait-elle devenir sa femme après tout ce qu'ils avaient traversé ? Il la détestait et la détesterait toujours.

— Bien sûr, ironisa Roman. Comme si je pouvais te faire confiance. Te rends-tu compte du mépris que tu m'inspires ?

— Dans ce cas, pourquoi m'épouser ? Ce serait épouvantable pour l'un comme pour l'autre.

Il lui décocha un sourire féroce.

— Surtout pour toi ! Pauvre Caroline Sullivan, obligée d'épouser un paysan russe. Tes parents seront fiers de toi, non ?

Sans réfléchir, Caroline se jeta sur lui et le poussa violemment en arrière. Cette attaque surprise le fit reculer de quelques pas, mais très vite il retrouva son équilibre.

— Je t'aimais, idiot ! lui cria-t-elle. J'ai fait ce qu'il fallait pour ma famille, mais je t'aimais… Je leur aurais tenu tête pour être avec toi si le prix à payer n'avait pas été aussi élevé. Tu n'imagines pas les sacrifices que j'ai consentis dans cette horrible histoire !

Elle respirait par saccades, les yeux pleins de larmes. Très vite, elle comprit que Roman ne la croyait pas.

— Facile à dire maintenant. Mais nous connaissons la vérité, n'est-ce pas ? Les magasins Sullivan compteront toujours plus que tout à tes yeux.

— C'est faux ! protesta-t-elle. Et je ne t'épouserai pas.

Son sourire cruel la fit frissonner malgré la chaleur.

— C'est ce que nous verrons !

Posté un peu en retrait, Roman observait attentivement la scène qui se déroulait devant lui, à laquelle il se sentait parfaitement étranger : indifférents à sa présence, Caroline et Blake jouaient avec Ryan sur la plage.

Ses pensées le ramenèrent aux propos échangés avec Caroline. Il lui avait signifié sa décision de l'épouser et d'assumer son nouveau rôle de père — alors qu'il n'avait pas la moindre idée de la manière de s'y prendre : son propre père ne lui avait pas donné d'exemple sur lequel s'appuyer.

Une vague d'amertume l'assaillit. S'il avait été présent dès le début, s'il avait vu son enfant grandir dans le ventre de sa mère, s'il avait appris à changer ses couches, s'il lui avait tenu la main au moment du coucher, il ne se sentirait pas aussi démuni aujourd'hui.

Sa présence terrifiait Ryan et l'inverse était vrai également, même s'il répugnait à se l'avouer. Jamais il n'admettrait devant Caroline qu'il avait besoin de son aide. Elle seule savait ce qu'il convenait de faire dans cette situation. Si seulement il osait lui demander son avis…

Soudain, en l'entendant éclater de rire suite à une remarque de Blake, il serra les dents, perturbé. Il imagina la jeune femme au chevet de son mari malade — un homme qui avait été pour elle un tendre ami et non un amant. Avait-elle souffert de la solitude ? Avait-elle connu la peur, la colère et l'impuissance ? Quoi qu'il en soit, ces deux dernières années ne devaient pas lui avoir donné de nombreuses occasions de rire.

Agacé par sa faiblesse, Roman chassa la compassion qui s'était emparée de lui. Caroline n'en méritait aucune de sa part. Elle lui avait menti, lui avait caché l'existence de son enfant.

« Je t'aimais, idiot ! » lui avait-elle lancé. Or, il n'en croyait pas un mot. Caroline était prête à tout pour obtenir sa clémence.

Comme si elle avait deviné ses pensées, elle leva les yeux vers lui. Il soutint son regard. Au bout d'un interminable moment, elle adressa quelques mots à Blake et vint dans sa direction, de cette démarche souple, féline, qui lui conférait une classe inouïe. Depuis son plus jeune âge, elle avait vécu dans l'opulence ; tout dans son maintien en témoignait.

Elle portait un maillot de bain rouge sous une chemise vaporeuse nouée à la taille par une ceinture. Son chapeau de paille lui masquait en partie le visage. Elle était splendide, beaucoup plus belle que les starlettes et top-modèles qu'il avait pu côtoyer dans sa vie.

Une chaleur inopportune se répandit dans son corps au souvenir de leurs étreintes passionnées. Comment pouvait-il encore la désirer à ce point après ce qu'elle lui avait infligé ?

— Pourquoi ne te joins-tu pas à nous ? lui demanda-t-elle. Ce serait l'occasion pour toi de mieux connaître Ryan.

— Il a peur de moi.

Caroline haussa les épaules.

— Il pourrait prendre confiance si tu y mettais du tien. Viens jouer avec lui. Montre-lui que tu peux être amusant.

Roman avait envie de suivre ce conseil, mais que se passerait-il s'il échouait, s'il n'avait pas l'étoffe d'un père, si l'enfant continuait à le fuir ? Comment le supporterait-il ?

— J'ai du travail, répondit-il, rogue. Une autre fois.

Caroline le toisa, une main posée sur la hanche.

— Réussiras-tu à te rendre disponible avant qu'il entre au lycée ?

— Une multinationale ne se dirige pas toute seule, répliqua-t-il sèchement.

Elle avait raison, inutile de le nier. Et elle savait qu'il venait d'inventer une excuse parce qu'il avait peur. Ses grands yeux se voilèrent de tristesse.

— Il faudra bien que tu te décides. Retarder l'échéance rendra les choses encore plus difficiles.

Elle grimpa les quelques marches de la galerie pour le rejoindre. Roman la regarda approcher, fasciné. Sa tunique laissait entrevoir ses formes délicieuses, la naissance de ses seins, le galbe parfait de ses jambes. Il ferma un instant les yeux. Malgré ses bonnes résolutions, il désirait cette femme à la folie. Aucune ne lui avait jamais fait autant d'effet. Ses longs cheveux dénoués soulignaient son côté sauvage, indomptable.

— Viens, Roman, insista-t-elle. Ryan est un petit garçon adorable, mais il faut t'armer de patience avec lui. Dans quelques jours, je suis sûre qu'il te trouvera fabuleux. Il faut bien faire le premier pas à un moment ou un autre. Pourquoi pas maintenant ?

Il ne dit rien pendant quelques secondes, pesant le pour et le contre. Puis, soudain, tout fut clair dans son esprit : à quoi bon ressasser de sombres pensées pendant que Ryan, Blake et Caroline prenaient du bon temps ?

— D'accord, je viens, dit-il, ses hésitations balayées.

Les jours suivants s'écoulèrent comme dans un rêve — du moins presque, compte tenu des circonstances. Depuis que Caroline avait compris que Roman avait besoin de son aide pour se rapprocher de leur enfant, elle avait décidé de tout mettre en œuvre pour que le fils et le père développent de bonnes relations.

Chaque fois qu'elle les voyait ensemble, des bouffées d'émotions l'assaillaient. Si Ryan commençait à prendre confiance, Roman, lui, donnait le sentiment de marcher encore sur des œufs. Parfois, pourtant, il se comportait de manière naturelle, comme la fois où il les avait emmenés sur son yacht et laissé Ryan conduire le bateau. Posté derrière lui, ses mains sur celles de l'enfant, il avait guidé ses gestes et répondu à ses questions sans manifester la moindre impatience.

Ce jour-là, tout avait été parfait. Le soleil les avait accompagnés tout au long de la promenade. Caroline en avait apprécié chaque minute. A moment donné, Blake lui avait adressé un clin d'œil complice et elle lui avait souri en retour. Il y avait longtemps qu'elle ne s'était sentie aussi heureuse.

Hélas, de nombreuses questions demeuraient en suspens. Même si personne n'était venu les espionner, Roman y ayant soigneusement veillé, Caroline savait que la réalité finirait par les rattraper.

Elle en eut la certitude lorsque sa mère l'appela.

— Tu dois revenir en ville, Caroline. La presse ne cesse d'écrire des choses épouvantables sur toi et sur cet homme détestable. Je suis obligée de cacher les journaux à ton père. S'il apprenait que Roman Kazarov a en tête de s'approprier le groupe Sullivan, il en mourrait.

Caroline ferma les yeux un court instant.

— Maman, il faut que tu comprennes que papa a pris de très mauvaises décisions avant de tomber malade. Le groupe est dans une sale posture. Je m'efforce de résoudre la situation, mais ce n'est pas facile.

Elle s'efforça de maîtriser son niveau de stress, qui avait grimpé de plusieurs degrés. Il ne lui restait plus que quelques jours avant l'échéance fatidique. Toute son équipe dirigeante était sur les charbons ardents. Dès qu'elle pouvait s'échapper, elle travaillait sans relâche, passait de longues heures au téléphone. Mais quoi qu'elle fasse, la réalité implacable des chiffres la rattrapait. Elle était de plus en plus désespérée et se demandait même si elle n'allait pas abandonner le combat.

Chaque fois que cette pensée l'assaillait, elle s'en voulait terriblement. Elle n'avait pas le droit de renoncer ! Son père ne l'aurait jamais fait ; Jon non plus, d'ailleurs. Elle avait besoin d'un miracle. Tout était encore possible. Elle avait relancé son réseau, cherché des investisseurs. Hélas, seuls quelques-uns avaient répondu à l'appel.

— Ton père, certains jours, réclame d'aller au bureau, lui dit Jessica.

— Ce n'est pas possible, maman, tu le sais bien.

— C'est… de plus en plus difficile. Même avec l'infirmière. La situation se dégrade beaucoup plus vite que je ne l'aurais cru. Hier, il m'a regardée comme une étrangère. Il oublie mon prénom de plus en plus souvent…

Caroline refoula ses larmes.

— Tout ce que nous pouvons faire, affirma-t-elle, la gorge serrée, c'est nous assurer qu'il est en sécurité et bien soigné.

Après cette conversation, Caroline posa la tête sur ses bras repliés, dévastée devant cette situation qui ne faisait que s'aggraver. Sans doute devrait-elle rejoindre sa mère à Southampton pour l'aider dans cette épreuve. Mais celle-ci l'en avait dissuadée, lui conseillant plutôt de rentrer à New York pour qu'enfin cessent les commérages sur sa relation avec Roman Kazarov.

Lorsqu'elle releva la tête pour saisir un mouchoir et sécher ses larmes, elle vit que Roman l'observait depuis le seuil. Depuis combien de temps se tenait-il là ? Avait-il tout entendu ?

— Que se passe-t-il, Caroline ? Est-il arrivé quelque chose à ton père ?

Elle commença à secouer la tête en signe de dénégation, puis, submergée par l'émotion, elle éclata en sanglots.

12.

Lorsque Roman s'approcha pour la prendre dans ses bras, ses larmes redoublèrent. Caroline ne pleurait pas seulement à cause de son père, mais aussi de Roman, d'elle-même, de leur enfant, de Blake et Jon. Elle pleurait à cause de toutes les erreurs commises par le passé et de toutes les pertes que chacun avait subies.

— Je suis... désolée, hoqueta-t-elle entre deux sanglots, la tête nichée contre son torse.

Elle sentait la chaleur et la force de Roman et s'accrochait à lui comme à un radeau de fortune. Le reste du monde lui paraissait hostile, impitoyable.

Il lui caressa doucement le dos pour la réconforter ; très vite leur étreinte devint plus sensuelle. Il l'embrassa fougueusement avant de la repousser avec douceur.

— Stop ! dit-il d'une voix rauque. *Chert poberi...* Je te veux, je te désire comme un fou, mais pas comme ça, pas maintenant. Je ne veux pas profiter de ton désarroi.

Le cœur de Caroline s'emballa dans sa poitrine. Ainsi, il la désirait encore, malgré tout ! Elle baissa les yeux, émue comme jamais elle ne l'avait été auparavant. Quelque chose venait de se rompre en elle. Quelque chose d'irrémédiable était sur le point de se produire, sans qu'elle sache exactement de quoi il s'agissait.

Roman prit son visage entre ses mains et planta son regard dans le sien.

— Dis-moi ce qui se passe, l'encouragea-t-il.

Pouvait-elle lui dire la vérité ? Jusqu'à quel point ?

— Mon père… est malade, finit-elle par avouer.

— Dans ce cas, tu dois te rendre à son chevet.

Ses yeux s'emplirent de larmes de nouveau. La compassion qu'elle lisait dans ceux de Roman la bouleversait. Malgré le mal que les Sullivan lui avaient fait, il semblait prêt à l'aider, à la soutenir dans cette épreuve.

— Ce n'est pas nécessaire, répondit-elle. Sa maladie est… chronique. Elle ne le tuera pas. Je pense qu'il a encore de nombreuses années à vivre, mais c'est dur.

— Est-ce la raison pour laquelle il a pris sa retraite ?

— Oui, il n'a pas pu faire autrement.

— Je suis désolé.

Caroline ressentit soudain une intense fatigue. Elle était lasse de se battre, épuisée émotionnellement.

— Tu avais raison : il a pris de très mauvaises décisions, mais nous ignorions qu'il était déjà malade à ce moment-là. J'ai tout tenté pour redresser la situation, sans y parvenir. Bientôt, tout sera fini, n'est-ce pas ?

Après une seconde d'hésitation, Roman la serra de nouveau dans ses bras. Elle passa ses bras autour de son cou et posa la tête contre son épaule.

— Tu n'abandonnes pas aisément, d'habitude, lui dit-il après un long silence. Où est donc passée ta détermination à me battre à mon propre jeu ?

Elle réfléchit à cette question, qui revêtait une importance capitale. Si le groupe Sullivan lui échappait, quelle perte cela représenterait-il *vraiment* pour elle ? Car qu'y avait-il de pire que de perdre un père, un mari, un homme que vous aviez aimé profondément ? Tant qu'elle aurait Ryan auprès d'elle, sa vie serait comblée. N'était-il pas temps de rompre avec le passé ?

— Je suis fatiguée, Roman, lui avoua-t-elle. Le prix à payer pour sauver le groupe Sullivan a été trop lourd ces dernières années. Je ne veux plus de cette responsabilité. Peut-être pourrais-tu opter pour une autre solution que la liquidation ? Ce serait dommage de fermer les magasins les plus rentables.

Roman garda le silence un long moment.

— Tu dis cela parce que tu es bouleversée, finit-il par déclarer. Dans une heure, je suis sûr que tu auras retrouvé toute ta combativité.

— Non, tu te trompes, affirma-t-elle avec force.

Elle était sincère. Pour la première fois de sa vie, elle avait envie de se libérer de ses chaînes. Elle avait trop donné, s'était trop battue. Peut-être pourrait-elle consacrer son énergie à autre chose désormais.

En écoutant le cœur de Roman battre dans sa poitrine, elle comprit soudain de quoi elle avait profondément besoin.

D'amour, de joie, d'une famille...

Elle aimait profondément cet homme. Elle l'avait toujours aimé, et pourtant elle l'avait trahi. Un sentiment de panique l'étreignit. Comment réparer une aussi terrible erreur ? Comment rassembler les morceaux de leurs deux cœurs brisés ?

Roman la désirait toujours autant, mais elle ne pouvait plus se contenter d'une aventure avec lui. Elle le voulait tout à elle. Leur couple avait-il une chance ? Pourrait-il un jour se ressouder ?

Soudain, elle perçut une tension électrique entre eux. Roman ne l'étreignait plus avec la même force. Prenant les devants, elle s'écarta. Aussitôt, il recula d'un pas, le regard sombre, insondable, comme privé de toute émotion. Caroline eut le sentiment que le monde s'effondrait autour d'elle.

— Tu ne peux pas être sincère, lança-t-il.

Elle le dévisagea, sans comprendre.

— Pourquoi ne le serais-je pas ? rétorqua-t-elle. Pourquoi n'aurais-je pas envie d'autre chose aujourd'hui ? Si je revenais en arrière, peut-être ferais-je d'autres choix...

— Tais-toi ! la coupa-t-il d'une voix dure. Tu as fait ton choix autrefois. Tu as détruit tout ce que nous aurions pu avoir et tu m'as privé de mon fils.

*
* *

Ils prirent leur dîner sur la galerie. Silencieuse, Caroline écoutait Ryan babiller auprès d'elle. Visiblement, il avait passé une excellente journée et se plaisait à en raconter les moindres détails. Mais elle avait le regard constamment attiré par Roman, qui paraissait plus détendu que d'habitude.

Visiblement, il avait compris l'importance de porter de l'intérêt à Ryan. Chaque fois que l'enfant lui posait des questions, il lui répondait avec gentillesse et faisait preuve d'une patience qu'elle ne lui connaissait pas.

Lorsque le dîner s'acheva, Blake annonça que l'heure du bain était venue pour Ryan. Comme l'enfant se mettait à protester, il dit avec fermeté :

— Ne discute pas, bonhomme, l'heure c'est l'heure !

Le gamin se tourna vers sa mère.

— Je veux que monsieur Roman vienne avec moi.

Caroline sursauta.

— C'est à lui que tu dois demander cela…

Ryan se tourna alors vers son père.

— Tu veux bien me faire prendre mon bain, monsieur Roman ? demanda-t-il timidement.

Pendant un court instant, le silence s'installa autour de la table. Puis, sans un mot, Roman se leva et tendit la main à son fils, qui bondit aussitôt de sa chaise, comme s'il était monté sur ressorts.

Caroline le dévisagea et Roman soutint longuement son regard. Qu'y avait-il dans ses yeux ? se demanda-t-elle avec angoisse. De la haine, de la rage, du ressentiment… ou un mélange des trois ?

Elle les regarda s'éloigner ensemble, le cœur lourd.

— Il va falloir que tu m'expliques ce que je dois faire, entendit-elle Roman dire à Ryan juste avant qu'ils quittent la pièce.

Dès qu'ils eurent disparu, elle fondit en larmes.

— Oh ! Caroline ! dit Blake en lui prenant la main. Tout ira bien, vous verrez. Il a besoin de temps, c'est tout.

Caroline baissa la tête.

— Je n'en suis pas sûre. J'ai tout gâché il y a des années.

— Mais non. Faites-moi confiance, tout va s'arranger.

Elle ne put s'empêcher de sourire devant autant d'assurance.

— Savez-vous que vous êtes presque aussi arrogant que lui ?

— Je suis la sagesse incarnée ! protesta Blake avec une mimique comique.

Roman retrouva Caroline sur la plage. Il n'était pas allé à sa recherche, mais le hasard l'avait entraîné sur ses pas.

Une fois de plus, son pouls s'emballa à la vue de ses longs cheveux dénoués balayés par le vent et de sa ravissante silhouette. Elle portait une robe légère qui lui arrivait à mi-cuisses et découvrait ses longues jambes fuselées. Une boule se forma dans sa gorge tandis que des émotions contradictoires l'envahissaient, un mélange de haine et de désir.

Non, pas de haine, songea-t-il. Il ne pouvait plus se mentir. Il ne haïssait pas Caroline, il ne l'avait même jamais haïe. Il avait détesté ce qu'elle lui avait fait, ce rejet qu'il avait vécu comme une trahison, mais pas la femme qui l'avait repoussé. Comment pourrait-il la haïr alors qu'elle était la mère de son enfant ?

Il se rappela la jeune fille qu'elle était autrefois, cet amour qu'elle vouait à son père, cette crainte qu'elle avait de le décevoir. Avec le recul, il comprenait désormais les raisons qui l'avaient poussée à obéir à Frank Sullivan — l'homme qui avait réduit tous ses espoirs à néant. La colère qu'il éprouvait à son encontre s'était envolée depuis qu'il le savait malade.

Pendant des années, Roman avait accusé les Sullivan de tous les maux, les jugeant responsables de ce qui était arrivé à sa mère. Or, la vérité était ailleurs : si Andrei Kazarov ne s'était pas comporté comme une brute infâme, sa mère n'aurait jamais fini sa vie dans la misère.

En observant Caroline, il se sentait soudain perdu au milieu d'un labyrinthe dont il savait qu'il ne trouverait jamais la sortie.

Elle lui tournait le dos et contemplait l'océan. Les vagues

venaient mourir à ses pieds. Il s'approcha d'elle. Lorsqu'elle se tourna vers lui, lentement, il nota combien son visage était pâle et ses yeux hagards. La tristesse qui émanait d'elle faillit l'émouvoir et il eut envie de l'attirer dans ses bras. Le souvenir de Ryan l'appelant « monsieur Roman » le stoppa dans son élan. Sans le vouloir, son enfant lui avait infligé une peine incommensurable. Jamais il ne s'était senti aussi maladroit que ce soir, et il avait fallu que ce soit avec son fils — un enfant dont il ignorait tout. Pourrait-il pardonner un jour à Caroline de lui avoir caché son existence ?

— Je suis désolée, lui dit-elle comme si elle avait lu dans ses pensées. Pour tout.

Ces quelques paroles, au lieu de l'apaiser, ne firent que renforcer sa frustration.

— Je ne pense pas que des excuses suffisent.

— Je sais… Hélas, c'est tout ce que j'ai à t'offrir, murmura-t-elle en baissant la tête.

Roman approcha plus près et se mit à contempler l'horizon éclairé par une lune pâle. Caroline l'imita et, pendant un long moment, ils écoutèrent le murmure des vagues qui venaient se briser sur la plage.

Ce fut Roman qui rompit le silence.

— Quand je suis rentré en Russie, je n'avais pas d'argent et plus de travail.

Il s'interrompit un court instant, étonné par cette envie qui le taraudait de se confier. Il pressentait que rien ne pourrait l'arrêter. S'il ne laissait pas libre cours à cette rage qui l'habitait depuis si longtemps, il serait incapable d'aller de l'avant.

— Ma mère vivait dans une maison de retraite. Tant que j'ai travaillé pour ton père, j'ai pu lui envoyer de l'argent pour subvenir à ses besoins. A mon retour, je n'avais plus les moyens de la laisser dans cet endroit.

Il entendit Caroline dire dans un souffle :

— Oh ! Roman…

D'un geste, il lui intima de se taire.

— Il a fallu que je lui trouve un appartement à Moscou.

Mes frères et moi nous occupions d'elle à tour de rôle. Une infirmière venait de temps à autre lui prodiguer des soins. Ma mère est morte dans le dénuement le plus total.

Caroline se mit à sangloter doucement. Roman s'en voulut soudain de lui infliger de telles révélations, mais il ne pouvait plus revenir en arrière.

— Si j'avais continué à travailler pour le groupe Sullivan, ma mère aurait pu finir ses jours dans un environnement plus agréable. Mais elle serait morte quand même. Elle était à bout de forces et n'avait plus toute sa tête… depuis longtemps.

— Que lui est-il arrivé ?

Il ferma les yeux, pour chasser la douleur qui revenait régulièrement le hanter.

— Mon père était un homme très violent, *solnyshko*. Mais parlons d'autre chose…

Caroline vint se blottir tout contre lui. Pendant un court instant, il n'ébaucha pas le moindre geste, puis il l'entoura de ses bras et l'étreignit.

13.

Caroline ferma les yeux un instant, agitée par un tourbillon d'émotions : amour, inquiétude, chagrin, peur, plus d'autres encore qu'elle ne parvenait pas à identifier.

— Tu ne m'avais jamais parlé de la maladie de ta mère, dit-elle, blottie contre le torse de Roman.

— Nous étions trop occupés à autre chose, répondit-il avec douceur.

Elle se redressa pour plonger son regard dans le sien. La peine qu'elle lut dans ses yeux fit écho à la sienne.

— J'aurais aimé le savoir…

— Il n'y avait rien à faire. Elle recevait les meilleurs soins.

— Je suis vraiment désolée. Je sais ce que cela représente de perdre quelqu'un que l'on aime et de se sentir affreusement démuni.

Gentiment, il repoussa une mèche qui lui barrait le front. Ce geste tendre l'émut profondément.

— Tu as été très affectée par la mort de Jon, n'est-ce pas ?

— Oui, il était mon meilleur ami, et un bon père pour Ryan. Il l'aimait comme si c'était son enfant.

— Tant mieux… puisque je n'étais pas là.

— C'est trop injuste. J'aurais dû te dire la vérité, une fois que j'ai su où tu étais.

Roman laissa échapper un long soupir.

— Avec le recul, je me rends compte que rien n'a été facile, dit-il. Nous avons commis des erreurs tous les deux.

— Tu le penses vraiment ?

— *Da.* Je t'ai crue un peu trop vite lorsque tu m'as dit que tu ne m'aimais pas. J'aurais dû me battre.

— Cela n'aurait rien changé, avoua Caroline, la gorge serrée. Il fallait que j'épouse Jon pour sauver les magasins. Je n'avais pas le droit de causer de la souffrance autour de moi. Il fallait que je préserve mon héritage.

Il lui prit la main et la serra entre les siennes.

— C'est la raison pour laquelle tu te bats encore aujourd'hui.

— Les magasins sont l'héritage de Ryan aussi. Je ne peux pas te laisser le dilapider.

— Tu oublies une chose, Caroline : il est aussi mon fils. Il héritera de tout ce que j'aurai construit. Si j'acquiers le groupe Sullivan, il lui reviendra aussi.

— Je pensais que tu voulais le détruire…

— Je suis un homme d'affaires, *solnyshko.* Je ferai ce qui convient le mieux pour le groupe et pour mes finances.

Ce fut comme si les mâchoires d'un invisible étau se relâchaient dans la poitrine de Caroline. Elle s'était donc trompée : Roman n'avait pas l'intention de provoquer la faillite du groupe Sullivan ; il n'était pas animé par le désir de vengeance qu'elle lui avait prêté.

Peut-être la situation finirait-elle par s'arranger. Peut-être tous deux pourraient-ils construire quelque chose de solide sur les cendres du passé. Un espoir était-il possible ?

— Le groupe n'aurait jamais dû se retrouver dans cette situation déplorable, expliqua-t-elle. Tout est allé de travers à cause de mon père. Nous n'avions pas compris…

Caroline se tut. Le secret qui entourait l'état de santé de son père avait été bien gardé jusqu'ici pour empêcher la presse de s'en emparer. Mais elle n'avait plus la force de la garder pour elle…

— Pas compris quoi ?

— Que mon père souffrait de la maladie d'Alzheimer. Il en était au tout premier stade, mais déjà il avait perdu le sens de certaines réalités. Il était devenu une proie facile et bon nombre de personnes ont profité de son état de faiblesse.

— Incroyable ! s'exclama Roman, l'air sincèrement

choqué. Ton père était un roc, il paraissait indestructible il y a seulement cinq ans…

— Je sais, mais c'est la triste réalité. Il ne se souvient plus de grand-chose aujourd'hui. Il ne nous reconnaît plus, Ryan et moi.

— *Solnyshko moy*, je suis peiné.

Caroline se détourna pour cacher son visage ruisselant de larmes. Depuis quelques années, la santé de son père se dégradait, mais elle avait dû faire bonne figure, garder sa douleur enfouie au fond d'elle-même, alors qu'elle aurait voulu crier cette injustice à la face du monde entier. Aujourd'hui, elle était lasse ; les digues qui retenaient son chagrin menaçaient de se rompre.

— Tu sais, dit Roman en lui prenant le visage entre les mains. Tu as le droit d'avoir de la peine.

— Je l'ai toujours cachée… Il le fallait.

Il l'attira dans ses bras et la serra très fort contre lui. Elle perçut immédiatement sa chaleur, l'odeur légèrement poivrée de son eau de toilette, et soudain elle fut transportée dans un tourbillon d'émotions vertigineuses. Portés par un même désir, ils se laissèrent tomber sur le sable mouillé. Une vague les recouvrit avant de les abandonner. Un rire les secoua, puis leurs lèvres s'unirent. Malgré la tiédeur de l'eau, Caroline se mit à frissonner. Aussitôt, Roman s'écarta. Lorsqu'il baissa les yeux sur sa petite robe, qui lui collait à la peau et dévoilait ses formes, il étouffa un juron. Avec douceur, il déboutonna son vêtement et le lui retira, sans cesser de l'embrasser partout. Ses lèvres s'arrêtèrent sur sa poitrine et elle gémit de plaisir. Elle brûlait de désir, comme cette fameuse nuit à Los Angeles.

— Je te veux, murmura-t-elle. Je t'en prie, Roman…

Elle l'étreignit alors avec force, comme si elle craignait qu'il ne s'échappe.

— Moi aussi, Caroline… Si tu savais comme je te désire !

Son cœur chavira en entendant cet aveu.

— Prends-moi… Je suis à toi.

Roman se dégagea de son étreinte pour se débarrasser

de ses vêtements. Il se glissa ensuite entre les cuisses de Caroline et la pénétra d'un puissant coup de reins. Leurs corps s'unirent dans une étreinte passionnée, fusionnelle, qui les laissa pantelants lorsque la jouissance la plus absolue les saisit.

Caroline serrait son amant avec force ; elle désirait le garder en elle le plus longtemps possible. Son souffle mit longtemps à s'apaiser.

Lorsqu'ils se séparèrent, ils demeurèrent étendus sur le côté, leurs regards soudés. Un léger sourire flottait sur le visage de Roman. Il lui caressa la joue tendrement et elle ferma les yeux pour goûter ce geste exquis. Elle brûlait de lui avouer la force de ses sentiments mais préféra se taire. Une crainte diffuse continuait de la tarauder.

— Tu me tortures, lui dit-il d'un ton très bas.

— Ce n'est pourtant pas mon but, répondit-elle la gorge serrée.

— Ça ne l'a jamais été, je le sais, mais le résultat est le même.

— Je ressens la même chose que toi, Roman. Je n'ai jamais cessé de penser à toi.

Il lui saisit la main et la porta à sa bouche.

— Je veux vivre avec toi et avec notre enfant. Il faut que nous trouvions une solution.

— Nous y arriverons. Oui, j'en suis sûre !

Cette nuit-là, ils firent de nouveau l'amour, dans l'intimité de la chambre de Roman. Caroline atteignit de nouveau des sommets d'extase.

— Je t'aime, lui avoua-t-elle lorsque leurs corps explosèrent à l'unisson.

Roman ne prononça pas les trois mots magiques, mais il murmura son prénom plusieurs fois avant de s'endormir.

Depuis de longues minutes, Caroline reposait entre les bras de son amant sans parvenir à trouver le sommeil.

Doucement, elle se dégagea de ses bras et quitta le lit. Sur la pointe des pieds, elle gagna la galerie et se pelotonna sur une chaise longue, face à la mer. Elle avait revêtu un T-shirt de Roman qui portait des traces de son odeur, si exquise, si envoûtante. Songeuse, elle admira le clair de lune qui nimbait l'océan d'une lueur mordorée.

Soudain, la voix ensommeillée de Roman la tira de sa rêverie :

— Que fais-tu dehors ?

Elle tourna la tête vers lui. Il l'avait rejointe sans prendre la peine de se couvrir.

— Je n'arrivais pas à dormir.

Il prit place sur la même chaise longue qu'elle et l'enveloppa de ses bras.

— As-tu envie d'en parler ? lui demanda-t-il avec douceur.

— Il n'y a rien à en dire, répliqua Caroline en posant la tête sur son poitrail.

Il lui releva le menton pour la dévisager. La douceur de son regard l'émut profondément. Se pouvait-il qu'il l'aime de nouveau, comme autrefois, lorsque aucune ombre n'entachait leur relation ? Ou bien se leurrait-elle ?

— Si tu n'arrives pas à dormir, il doit bien y avoir une raison.

— De nombreuses choses me préoccupent, admit-elle en fuyant son regard. Mais je n'ai pas envie de gâcher notre nuit.

— De quoi veux-tu que nous parlions, alors ?

— Et si je ne voulais pas parler, seulement ressentir des choses ?

Roman lui sourit.

— Cela peut s'arranger, *solnyshko*. Mais je préférerais discuter d'abord.

— Que puis-je te dire de plus ? soupira-t-elle. Tu sais déjà tout.

Le sourire de Roman s'évanouit.

— Pas tout. Au contraire, je crois que j'ai raté beaucoup de choses.

Comprenant qu'il parlait de Ryan, Caroline se blottit contre lui.

— J'ai des albums remplis de photos, et aussi plein de vidéos. Je sais que ce n'est pas pareil, mais j'aimerais te les montrer lorsque nous rentrerons à New York.

Il la transperça du regard et elle retint son souffle. Tout était encore si fragile entre eux qu'elle s'attendait au pire à tout moment. Mais Roman finit par ébaucher un léger sourire.

— J'aimerais les voir.

Baissant ses yeux embués de larmes, elle lâcha :

— Je ne t'en veux pas de me haïr.

Le silence s'installa, lourd, pesant.

— Je ne te hais pas, Caroline, répondit-il enfin.

Stupéfaite, elle leva les yeux vers lui.

— Comment est-ce possible ? Tu as beaucoup perdu par ma faute, à cause de notre relation.

— J'y ai gagné quelque chose aussi… Un fils.

— Je suis en colère contre mon père. Il n'aurait jamais dû te chasser comme il l'a fait. Je lui en veux aussi d'avoir pris de mauvaises décisions pour le groupe Sullivan et… et, même si ce n'est pas de sa faute, de ne plus me reconnaître.

Incapable de se contenir, elle éclata en sanglots. Roman la serra plus fort contre lui.

— Nous ne pouvons pas changer le passé. Et pour ce qui concerne ton père, nous ne pouvons pas influer sur l'avenir. Mais nous pouvons nous concentrer sur notre futur à nous.

— Tu… tu le penses vraiment ?

— Oui. Epouse-moi, *lyubimaya moya*. Offrons-nous la vie que nous aurions dû connaître autrefois.

Une semaine plus tôt, Caroline aurait trouvé l'idée d'épouser Roman totalement insensée, mais tant de choses s'étaient produites depuis. Les sentiments qu'elle éprouvait pour lui n'avaient jamais été aussi forts et la tentation de céder la tenaillait.

Mais accepter comportait un risque énorme : que se passerait-il si leur union échouait ? Comment survivrait-elle à une nouvelle séparation ?

— J'ai peur, Roman. Et si ça ne marche pas entre nous ?

— Nous aviserons le moment venu, répondit-il avec philosophie.

Un frisson la secoua. Elle ne voulait plus penser à rien. Se lovant contre son merveilleux amant, elle se mit à caresser sa peau nue.

— Cessons de discuter. Embrasse-moi.

Roman s'empara alors de ses lèvres et l'embrassa avec passion.

14.

La principale leçon que Roman avait apprise de la vie était que l'amour ne durait pas. Ce sentiment n'était jamais assez fort pour vaincre l'adversité. Et pourtant, il reposait auprès de la seule femme qu'il avait jamais réellement aimée, et dont il avait été séparé pendant cinq longues années.

Un tourbillon d'émotions l'agitait.

Il l'avait serrée dans ses bras, appelée *lyubimaya moya* — « mon amour »… Certes, Caroline n'avait pas compris le sens des paroles qu'il avait prononcées, mais elles n'en avaient pas moins été réelles. Ces mots tendres lui avaient échappé et, à présent il s'interrogeait sur ce qui avait provoqué cette faiblesse.

Comment pouvait-il encore aimer cette femme ?

Il n'en savait rien, mais il ne pouvait plus nier l'évidence. Il craignait le pire. Etait-il condamné à revivre l'effroyable expérience connue cinq ans plus tôt ? Allait-il tomber d'encore plus haut qu'à cette époque ? Caroline lui avait dit qu'elle l'aimait, mais le pensait-elle vraiment ? Essayait-elle par ce moyen de sauver les magasins Sullivan ?

Roman cherchait désespérément une réponse aux questions qu'il se posait, sans en trouver aucune. Pourtant, rien dans l'attitude de Caroline ne lui permettait de douter de sa sincérité. Durant ces derniers jours, elle avait tout mis en œuvre pour que Ryan et lui finissent par se connaître et s'apprécier. Il n'avait rien à lui reprocher ; toutefois, il sentait une sombre menace peser sur leur relation.

Se passant une main dans les cheveux, il soupira. La

situation lui échappait. Elle avait pris une tournure totalement inattendue. Au départ, il pensait que tout serait simple. Son plan lui paraissait imparable : il avait toutes les cartes en main pour déposséder les Sullivan de leur empire et accomplir sa vengeance.

Puis il avait compris que la situation était bien plus complexe qu'il ne l'avait imaginée.

Caroline était tout autant victime que lui. Ses parents l'avaient obligée à le quitter; puis ils l'avaient chassé des Etats-Unis pour empêcher leur fille de revenir sur sa décision.

Il baissa les yeux sur elle, abandonnée dans le sommeil tout contre lui, et il ressentit un mélange de fierté et de désir. Caroline était une femme déterminée. Elle avait fait ce qu'elle estimait être son devoir à l'égard de sa famille, au détriment d'elle-même. Et lui, aurait-il agi différemment dans la même situation ? Probablement pas. Tout comme sa maîtresse, il aurait mis sa vie entre parenthèses et accompli son devoir.

Il effleura de la main le contour de son visage et sourit lorsqu'elle émit un léger soupir; elle se lova encore plus étroitement contre lui.

Il devait se rendre à l'évidence : ils étaient faits l'un pour l'autre, et Ryan scellait leur union. S'il renonçait à détruire le groupe Sullivan, ce ne serait pas trahir la mémoire de sa mère. De toute façon, elle n'aurait jamais approuvé sa décision — elle était la bonté incarnée. Cette gentillesse l'avait d'ailleurs conduite à sa propre perte. Il avait éprouvé beaucoup de peine pour sa défunte mère, mais elle avait été responsable de ses choix. Il était temps de tourner la page et de se projeter dans l'avenir, quoi qu'il lui réserve…

Installée dans le bureau qui surplombait la plage, Caroline peinait à se concentrer sur son travail. Son attention était sans cesse captée par Ryan, qui jouait dans le sable. Blake, confortablement installé sur une chaise longue, sirotait une boisson en lisant à l'ombre d'un parasol.

Elle n'avait pas revu Roman depuis son départ, à l'aube, et il lui manquait déjà.

Jetant un coup d'œil à sa montre, elle constata qu'il était déjà 15 heures.

Un léger sourire se dessina sur ses lèvres au souvenir de leur dernière conversation. Roman n'avait plus l'intention de détruire le groupe Sullivan. Contrairement à ce qu'elle avait cru, il n'était pas animé de mauvaises intentions. Son intelligence et son sens des affaires lui avaient permis de bâtir un empire à partir de rien. Il n'allait pas détruire les magasins de sa famille dans le seul but d'accomplir une vengeance personnelle.

Tous deux étaient enfin parvenus à chasser leurs démons. Désormais, ils se comprenaient. Peut-être l'avenir leur promettait-il encore de belles surprises, après tout…

Bien sûr, elle n'était pas encore parvenue à éliminer toutes ses craintes. Sa vie ces dernières années avait été tellement parsemée d'embûches qu'elle peinait à croire en un destin souriant. Ce bonheur qui semblait à portée de main n'était-il qu'un leurre ?

Elle ferma un instant les yeux et inspira profondément. Quoi qu'il arrive, Roman et elle se conduiraient en adultes responsables. L'avenir de Ryan était entre leurs mains. Leur enfant guiderait toutes leurs décisions, désormais.

Se plongeant de nouveau dans les dossiers étalés sur le bureau, elle constata que les résultats du groupe s'étaient un peu améliorés, pas assez toutefois pour résoudre tous les problèmes. Il fallait regarder la réalité en face : la situation était mal engagée.

Dès le lendemain, à moins d'un miracle, les magasins Sullivan appartiendraient au groupe Kazarov. Caroline appréhendait cette échéance. Elle ressentait un mélange de tristesse, de colère et de peur. Voir son héritage lui échapper lui serrait le cœur. Sa mère serait dévastée, mais heureusement son père ne se rendrait compte de rien…

Chassant la morosité qui s'était emparée d'elle, elle reporta son attention sur Ryan et Blake, qui construisaient un château de sable. L'envie de les rejoindre la saisit.

Refermant ses dossiers, elle allait se lever quand la sonnerie de son téléphone portable interrompit son mouvement. Elle reconnut le numéro de son directeur financier.

— Bonjour Rob.

— Vous n'allez pas le croire, s'écria celui-ci d'un ton qui donnait à penser qu'il venait de gagner au loto. Nous avons un nouvel investisseur. Nous sommes tirés d'affaire !

— Quoi ? Comment est-ce possible ? répliqua-t-elle, le cœur battant.

— Nous aurons l'argent, Caroline. Kazarov ne gagnera pas !

Totalement assommée, elle s'adossa à son siège avant de demander :

— En êtes-vous sûr ? *Absolument* sûr ?

Un tel revirement de situation semblait impossible, et pourtant... Soudain, la joie qui s'était emparée d'elle à cette nouvelle se transforma en tristesse. L'idée que Roman puisse perdre la désolait. Ce sentiment totalement incongru la désarçonna.

— Il s'agit d'un groupe d'investissement européen désireux de se faire une place sur le marché américain...

Le reste des propos de Rob lui échappa tant Caroline était abasourdie par cette nouvelle. Le groupe Sullivan allait survivre, avec elle à sa tête ! Roman n'absorberait pas la société, ni ne la détruirait. Désormais, toutes les cartes du jeu étaient entre ses mains.

Elle secoua la tête afin de se ressaisir. Subitement désireuse de connaître tous les détails, elle inonda Rob de questions. Quand leur conversation prit fin, l'envie de crier sa joie au monde entier la saisit. Elle aurait aimé que Roman soit présent pour la partager avec lui.

Elle avait conscience de l'absurdité de la situation : la seule personne avec qui elle avait envie de fêter l'événement était précisément son adversaire !

Comme mue par un ressort, elle se leva de son siège et

se mit à faire les cent pas tout en composant le numéro de Roman. Il répondit à la troisième sonnerie.

— Roman…

— Oui, mon ange, répondit-il avec une chaleur qui la fit fondre.

Serrant le combiné avec force, elle renonça à lui annoncer la nouvelle. Mieux valait attendre de le retrouver.

— Quand rentres-tu ?

— Je suis sur la route, lui dit-il. Tout va bien ?

— Oui, merveilleusement bien. Fais vite, j'ai très envie de te voir.

Il eut un petit rire qui lui arracha des frissons.

Dès qu'elle entendit la portière claquer, Caroline se rua sur le perron. Roman grimpait déjà les marches quatre à quatre. Il portait un costume, ce qui l'étonna : ne l'avait-elle pas vu partir dans une tout autre tenue, le matin même ? Certes, elle était à moitié endormie à ce moment-là…

Son cœur se mit à battre follement dans sa poitrine lorsqu'il l'enlaça étroitement. Un long baiser les réunit. Puis, lorsque leurs lèvres se séparèrent, Roman l'entraîna dans la chambre.

— Que s'est-il passé ? demanda-t-il. Pourquoi es-tu de si joyeuse humeur ?

— Je t'expliquerai plus tard. Pour l'heure, j'ai d'autres exigences à satisfaire…

Avec un sourire libertin, elle commença à se déshabiller. Roman l'imita et, très vite, ils se laissèrent tomber sur le lit en s'étreignant avec force. L'intensité de leur désir mutuel les transporta une fois de plus au septième ciel. Caroline savait que jamais elle ne trouverait un amant capable de la combler comme Roman le faisait, avec douceur, tendresse et parfois violence, toujours en écoutant ses envies et besoins de femme.

— Alors, dis-moi ce qui t'a rendue si joyeuse, *solnyshko*,

demanda-t-il en la caressant langoureusement, une fois leur passion apaisée.

Le cœur de Caroline se serra. Alors que depuis presque une heure elle brûlait d'envie de lui annoncer la nouvelle, elle craignait à présent sa réaction. S'il se fâchait ou se montrait contrarié, elle saurait que leur relation était vouée à l'échec, que leur merveilleuse entente reposait sur un leurre. Quoi qu'il en soit, il fallait qu'elle en ait le cœur net.

— Nous allons pouvoir honorer nos paiements, lui dit-elle en baissant les yeux.

A sa grande stupéfaction, Roman poussa une exclamation ravie. Un peu décontenancée, elle le dévisagea intensément. Puis, rassurée, elle lui sourit. Une grande chaleur se répandit dans son corps. Ainsi, il était heureux pour elle…

— Bravo ! lui dit-il avant de l'embrasser. Le groupe Sullivan va pouvoir survivre et son héritière a gagné.

— Cela ne te contrarie pas ?

Il la contempla longuement, les yeux brillants, avant de déclarer :

— Pourquoi serais-je contrarié ? Je récupère mon argent et c'est toi qui devras te battre pour que le groupe demeure rentable. C'est tout bénéfice pour moi !

Caroline se serra contre son amant, goûtant la perfection de ce moment unique. Tous deux reposaient nus dans les bras l'un de l'autre et aucune ombre n'entachait leur relation. Elle pouvait envisager le futur avec sérénité. Enfin, le bonheur était à sa portée. Roman serait son amant, son mari, son partenaire. Ils avaient tant de choses en commun ! Ses parents avaient eu tort de croire qu'une femme ne serait pas capable de diriger le groupe Sullivan. Avec Roman à ses côtés, elle serait à la hauteur de la tâche.

— Je craignais que tu prennes mal cette nouvelle, lui avoua-t-elle en toute franchise. Le groupe semblait te tenir à cœur.

— D'autres choses me semblent beaucoup plus importantes aujourd'hui, répondit-il avant de l'embrasser tendrement. Nous devrions nous marier, Caroline. Pour Ryan. Pour nous.

Elle émit un long soupir de contentement. Enfin, elle allait obtenir ce qu'elle désirait le plus : une vie de famille heureuse.

— Tu as raison, acquiesça-t-elle avec conviction. Marions-nous.

Roman se redressa dans le lit.

— Habille-toi, lui dit-il. Il y a un prêtre sur cette île.

Caroline entoura sa taille de ses bras en riant.

— Nous avons tout notre temps !

Sentant le désir poindre de nouveau, Roman se recoucha tout contre elle.

— Tu as raison, *lyubimaya moya*, murmura-t-il à son oreille, avant de lui faire sentir combien il avait envie d'elle.

Caroline et Roman échangèrent leurs vœux au coucher du soleil, sur la plage où ils avaient fait l'amour à leur arrivée sur San Jacinto. La cérémonie se déroula en toute intimité, avec pour seuls témoins Blake, Ryan et le personnel de maison.

Tout était allé si vite… Après avoir de nouveau fait l'amour, Roman lui avait demandé si elle était d'accord pour l'épouser le jour même, sur l'île. Elle avait dit oui et tout s'était enchaîné à une vitesse prodigieuse, en quelques heures.

Les yeux pleins de larmes, elle serra Ryan très fort contre elle.

— Maman, tu pleures ?

— Ce sont des larmes de bonheur, mon chéri.

— Monsieur Roman est mon papa, maintenant ?

— Oui, mon bébé. C'est ton papa.

Ryan tourna la tête vers son père. Avisant sans doute la lueur d'inquiétude qui brillait dans les yeux de son fils, Roman se baissa à sa hauteur. Il posa les mains sur ses épaules et déclara :

— Je suis très heureux d'être ton papa, Ryan.

La soirée se poursuivit dans leur pavillon privé, où un

délicieux dîner leur fut servi. Puis Blake et Ryan s'éclipsèrent pour les laisser seuls.

— J'ai très envie de faire l'amour avec ma superbe épouse, déclara Roman.

Emue aux larmes, Caroline le suivit jusqu'à la porte de leur chambre, qu'elle franchit dans ses bras, comme le voulait la coutume.

Lentement, avec une douceur extrême, son mari lui ôta ses vêtements, puis se dévêtit à son tour. Ils s'allongèrent sur le lit en échangeant des caresses, des baisers. Puis, n'y tenant plus, ils laissèrent libre cours à leur fièvre, qui culmina en un orgasme partagé d'une intensité absolue.

— Je t'aime, Roman, murmura Caroline lorsqu'elle eut repris son souffle.

— Caroline… Ma précieuse Caroline…

Elle sourit puis ferma les yeux. Il ne lui avait pas encore dit qu'il l'aimait, mais ce n'était que partie remise. Tout dans son attitude témoignait de son attachement. Elle saurait attendre. L'avenir leur appartenait.

15.

Le téléphone réveilla Caroline au beau milieu de la nuit. Se tournant vers Roman, elle observa sa mine sévère tandis qu'il parlait en russe avec son interlocuteur. Il s'exprimait d'un ton sans réplique. Elle aurait aimé comprendre la teneur de cette conversation, car il paraissait particulièrement tendu.

— Que se passe-t-il ? demanda-t-elle lorsqu'il eut raccroché.

— Ce n'est rien. Les affaires.

Doucement, il déposa un baiser sur ses lèvres en s'efforçant de sourire.

— Ça avait l'air sérieux, insista-t-elle.

— J'ai un tas de choses à régler, admit-il avec un soupir. Il faut que je retourne à New York. Je serai de retour dans un jour ou deux.

Caroline manqua soudain d'air. Deux jours ! Une éternité sans le voir… Elle se sentait incapable de supporter son absence.

— Je viens avec toi. Moi aussi, j'ai des choses à faire à New York.

— C'est notre lune de miel, *angel moy.* Tu ne devrais pas travailler.

— Toi non plus, dit-elle, butée.

Roman se rallongea à son côté et l'enlaça tendrement. Tout en déposant de doux baisers sur sa gorge, il répliqua :

— Je ne peux pas faire autrement. Je te promets de rentrer demain soir avant l'heure du coucher. Qu'en dis-tu ?

Caroline soupira, puis passa les bras autour du cou de son mari.

— Je n'ai pas le choix, je suppose… Mais peut-être devrions-nous tous partir. Trop de choses se passent en ce moment.

— Chut ! Tu as gagné, *solnyshko*. Les règlements seront effectués à temps, le groupe Sullivan est sauvé, et toi, tu mérites des vacances. Tu as beaucoup travaillé ces derniers temps. Les magasins peuvent maintenant attendre la semaine prochaine.

Caroline s'étira de tout son long, puis se lova contre son Roman. Il avait raison : elle était épuisée après cette longue et dense journée, et surtout après des mois passés à se battre. Pourtant, elle était déterminée à l'accompagner à New York. Il lui caressa les cheveux, et ses paupières se fermèrent doucement.

A son réveil, le soleil était déjà levé et elle se trouvait seule dans le lit. L'esprit confus, elle se demanda dans un premier temps où elle était. Puis, le coup de fil qui l'avait réveillée en pleine nuit lui revint à la mémoire.

Une sourde angoisse la saisit, sans qu'elle en comprenne la raison. Incapable de rester au lit plus longtemps, elle se leva, prit une douche rapide et s'habilla. Elle rejoignit Blake et Ryan, qui prenaient leur petit déjeuner sur la terrasse. Devant eux, la mer turquoise ressemblait à un lac tranquille.

Caroline s'installa à table et prit un fruit, sous le regard amusé de Blake.

— Arrêtez de me regarder comme ça ! dit-elle en réprimant un sourire.

— Pourquoi ? Je suis heureux pour vous, voilà tout.

Elle croisa le regard brillant de son ami et lui sourit franchement cette fois. Tout comme lui, elle était heureuse, même si elle craignait toujours que son bonheur soit de courte durée. Tout s'était passé si vite que sa tête lui tournait un peu.

— Mme Kazarov, intervint la gouvernante en arrivant sur la terrasse, je vous rapporte votre téléphone portable. Vous l'aviez laissé dans le bureau. Il sonne depuis au moins vingt minutes.

— Oh merci, répondit-elle en saisissant l'appareil.

Elle avait raté plusieurs appels émanant de sa mère et de Rob, et sa boîte vocale comportait plusieurs messages. La sourde angoisse ressentie au réveil se raviva. Fébrilement, elle écouta le premier message de Rob, puis les suivants, tous de la même teneur : « Appelez-moi, il y a un problème. »

Incapable de tenir en place, elle se leva pour se poster à l'autre bout de la terrasse et passer son premier appel.

— Caroline, enfin ! lui lança Rob lorsqu'il décrocha.

— Qu'y a-t-il ?

— Les Européens nous lâchent.

« C'était trop beau pour être vrai », songea-t-elle tandis que sa poitrine se contractait douloureusement. Pourtant, cette nouvelle ne la surprenait pas vraiment. Croire en des jours meilleurs était un leurre…

— Quoi d'autre ? demanda-t-elle, craignant le pire.

— Cela concerne votre père. La presse… est au courant.

Cette fois, Caroline ne put réprimer un cri d'effroi. Cette nouvelle la bouleversait. Lorsqu'elle avait appris la maladie de son père, puis celle de Jon, elle était parvenue à surmonter son désespoir. Mais ce nouveau coup du sort était au-dessus de ses forces.

Lorsqu'elle eut raccroché, elle se laissa choir sur une chaise. Elle avait envie de hurler, de briser les objets à sa portée, mais son corps ne répondait plus. Immobile comme une statue, elle se mura dans le silence. Elle entendait la vie se poursuivre autour d'elle, mais elle avait le sentiment de ne plus être en mesure d'y participer.

Tout avait changé, une fois de plus.

Irrémédiablement…

Quitter San Jacinto ne fut pas une mince affaire. Caroline fut obligée de louer un avion privé pour gagner Miami avec Blake et Ryan. Les bras croisés sur la poitrine, la tête appuyée contre le hublot, elle ruminait de sombres pensées, furieuse contre elle-même.

Les heures qui avaient suivi le coup de téléphone tournaient en boucle dans son esprit. Rob lui avait appris que des représentants de Kazarov Entreprises s'étaient déplacés pour superviser le transfert du groupe Sullivan. Aussitôt, le coup de fil reçu par Roman en pleine nuit lui était revenu à la mémoire. Il lui avait conseillé de demeurer sur l'île après lui avoir rappelé que l'empire Sullivan était sauvé et que sa présence à New York n'était pas nécessaire. Se pouvait-il qu'il l'ait odieusement trompée sur ses intentions à ce moment-là ?

Refusant de croire une seconde à une telle duplicité de sa part, elle avait tenté vainement de le joindre. Elle lui avait laissé de nombreux messages, mais il n'avait répondu à aucun. Après des heures d'attente fébrile, elle avait fini par accepter l'odieuse vérité qui se cachait derrière ce silence...

Elle était confrontée à une nouvelle épreuve, encore plus effroyable que les précédentes. Après avoir renoncé à l'homme qu'elle aimait pour sauver l'entreprise familiale, après avoir accompagné son premier mari tout au long de sa maladie, puis assisté à la déchéance de son père, elle venait d'être trahie par l'homme en qui elle avait placé toute sa confiance et tout son amour.

Elle détestait cette atroce et violente vérité et aurait aimé refuser d'y croire. Mais ces cinq dernières années lui avaient appris qu'il ne servait à rien d'occulter la réalité : mieux valait s'en accommoder et l'affronter que la nier.

Roman l'avait bel et bien trahie. A aucun moment, il n'avait renoncé à sa vengeance. Pourquoi l'aurait-il fait ? Elle lui avait brisé le cœur, pris son enfant. Frank Sullivan l'avait privé de son travail, l'empêchant ainsi de subvenir aux besoins de sa mère mourante. Comment pardonner autant d'horreurs en aussi peu de temps ?

Certes, il la désirait, voulait s'occuper de leur enfant, mais il détestait les Sullivan. D'ailleurs, lui avait-il dit qu'il l'aimait ? Jamais. Il avait volontairement laissé s'installer le doute. Elle ne lui en avait pas tenu rigueur. Elle s'était dit qu'avec le temps il finirait par lui avouer son amour. Pauvre idiote !

Aujourd'hui, elle prenait toute la mesure de l'erreur qu'elle avait commise en le tenant informé de l'évolution du groupe Sullivan. Pire encore : elle lui avait révélé l'état de santé de son père. Peut-être s'était-il servi de cette information pour décourager le groupe d'investissement européen de donner suite à sa proposition… A cette pensée, elle eut un haut-le-cœur. Si Roman était à l'origine des fuites dans la presse, elle ne s'en remettrait jamais.

Elle avait ensuite appelé sa mère, qui l'avait rassurée en lui affirmant qu'elle gérait la situation. Barricadée dans la maison, elle avait empêché les photographes de prendre des clichés de son mari. La nouvelle de sa maladie défrayait la chronique, mais au moins personne ne verrait la déchéance de son père à la une des journaux.

Caroline méprisait les paparazzis, qu'elle considérait comme des vautours. Mais elle se méprisait plus encore. Comment avait-elle pu se montrer aussi crédule ? Aussi aveugle et stupide ? Comment avait-elle pu laisser Roman s'installer dans sa vie alors qu'elle connaissait les buts qu'il poursuivait depuis le départ ?

Désormais, elle était sa femme. Il avait précipité leur mariage pour accomplir la dernière phase de sa vengeance. Il avait récupéré son fils et fait main basse sur le groupe Sullivan…

Pour avoir les mains libres, il l'avait convaincue de demeurer sur San Jacinto pour se reposer et prendre du bon temps. Elle avait relâché sa garde, et à présent elle en payait le prix fort. A midi, le groupe Sullivan avait changé de mains. Elle imagina Roman à son arrivée au siège, entouré de sa cour. Comme il avait dû jubiler !

La nuit commençait à tomber lorsque l'avion atterrit à New York. Après avoir déposé Blake et Ryan à l'appartement, le taxi conduisit Caroline au siège du groupe Sullivan. Le grand magasin situé au rez-de-chaussée était encore ouvert malgré l'heure tardive. De nombreux clients sillonnaient les rayons. Elle ressentit un pincement au cœur en songeant que plus rien de tout ceci ne lui appartenait. Ni à Ryan.

D'un pas assuré néanmoins, elle se fraya un passage jusqu'à l'ascenseur privé qui desservait les bureaux. La plupart étaient déserts. Elle se dirigea vers le sien et marqua un temps d'arrêt devant la porte pour contempler le S stylisé de son nom. Par quoi serait-il remplacé désormais ?

Sans s'annoncer, elle pénétra dans la pièce. En voyant Roman installé à son poste de travail, elle vit rouge.

— Tu n'as pas perdu de temps, à ce que je vois !

Il se leva, une expression soucieuse sur le visage.

— Caroline, que fais-tu ici ?

Elle ne devait pas avoir fière allure après le voyage, mais elle s'en moquait éperdument. L'heure des explications était venue. Levant le menton, elle planta son regard dans celui de son traître de mari.

— Pensais-tu que je resterais sur l'île après avoir découvert ce que tu as tramé dans mon dos ?

Pendant un long moment, il demeura silencieux. Puis une lueur dangereuse dansa dans son regard.

— Et que crois-tu que j'aie fait ?

— Mon père, laissa-t-elle tomber sèchement. Comment as-tu pu révéler à la presse son état de santé ?

— Tu m'accuses d'avoir informé les journalistes à ce sujet ? demanda-t-il, l'air totalement abasourdi.

— Qui d'autre ? lâcha-t-elle en croisant les bras. Qui avait intérêt à ce que cela se sache, à part toi ?

Caroline s'était mille fois posé cette question ces dernières heures, et une seule réponse lui paraissait vraisemblable.

Roman contourna le bureau pour venir la rejoindre. Il paraissait bouillir de rage.

— Combien de personnes sont au courant de l'état de santé de ton père ? demanda-t-il en martelant chaque mot.

— Quelques-unes, mais aucune n'aurait laissé fuir l'information, répondit-elle, avec une assurance qu'elle était loin de ressentir.

— Le personnel soignant, les jardiniers du domaine, les livreurs… Quelle chance tu as de pouvoir contrôler toutes ces personnes !

L'ironie mordante de ces propos la blessa profondément et décupla sa colère.

— Jusqu'ici, je n'ai jamais rien eu à craindre de personne. Tu es le seul à y gagner !

— Gagner quoi ? Que m'apporterait de révéler à la presse la tragique maladie dont souffre le père de ma femme ?

« Ma femme. » Ces deux mots la transpercèrent, mais Caroline contint sa douleur.

— Tout ceci ! lança-t-elle en écartant les bras. Voilà ce que tu as à gagner. Quelle heureuse coïncidence ! Le jour où le monde entier a connaissance de l'état de santé de Frank Sullivan, les investisseurs européens que nous avions trouvés retirent leur offre. Même si je dirige officiellement le groupe, certains croient que mon père tire encore les ficelles.

Il lui sembla voir le visage de Roman blêmir ; elle dut l'avoir imaginé, car très vite il la foudroya du regard.

— Tu crois que j'aurais pu faire une chose pareille ? Tu le crois vraiment ?

— Ai-je tort ?

Au fond d'elle-même, elle aurait aimé entendre Roman lui assurer qu'elle se trompait. Elle aurait aimé y croire. Hélas, la vérité était trop criante. Leurs retrouvailles n'avaient pas duré assez longtemps pour effacer cinq années de haine profonde…

— Qu'en penses-tu ? demanda-t-il.

— Je crois que dès le départ tu es venu à New York avec un plan diabolique en tête et que tu étais prêt à tout pour le voir aboutir.

— Je vois…, laissa-t-il tomber.

Caroline chancela. Si Roman lui avait planté un couteau dans le cœur, elle n'aurait pas souffert davantage.

— Tu ne nies même pas…

Sans un mot, il plongea les mains dans ses poches. Elle ne s'était pas rendu compte jusqu'ici qu'il avait les traits tirés et les yeux injectés de sang. Il avait abandonné sa cravate et sa veste sur une chaise, et déboutonné le premier bouton de sa chemise. Contre toute attente, elle ressentit une pointe de culpabilité, qu'elle chassa aussitôt. Cette fatigue qu'il affichait était probablement due à des heures de travail acharné pour lui subtiliser le groupe Sullivan. Il n'avait probablement pas encore eu le temps de savourer son triomphe.

— Pourquoi nierais-je ? reprit-il d'un ton abrupt. Ton opinion est déjà faite.

Ces quelques mots l'assommèrent. Une chape de plomb s'abattit sur elle et elle ressentit soudain une intense fatigue.

— Pourquoi es-tu ici si ce n'est pas pour cueillir ta victoire ? demanda-t-elle.

— Tu es en cessation de paiement depuis ce midi. Je suis simplement venu… Ah, qu'importe à présent !

Sa voix, si froide, avait perdu les inflexions caressantes de la nuit. Caroline ne reconnaissait plus l'homme qui, la veille encore, jouait avec Ryan, la serrait dans ses bras, lui faisait l'amour avec passion…

— Je ne comprends pas ta colère, rétorqua-t-elle. Je t'ai appelé une douzaine de fois, je t'ai laissé des messages auxquels tu n'as jamais répondu. Et à présent, je te retrouve ici, dans mon bureau, à la tête de la société que je dirigeais jusqu'ici. La conclusion est évidente, non ?

Sans un mot, Roman retourna s'asseoir. Il semblait sur des charbons ardents.

— Si tu le dis, Caroline…

Soudain, les digues lâchèrent et elle éclata en sanglots.

— Je t'aimais, espèce d'idiot ! En fait, l'idiote, c'est moi. J'ai commis l'erreur de croire en toi.

— Oh ! ça n'a pas duré longtemps, on dirait. Seulement quelques jours, riposta Roman d'une voix sourde.

Abasourdie, elle planta son regard inondé de larmes dans le sien :

— Comment oses-tu dire une chose pareille ? articula-t-elle entre ses dents serrées. Je n'ai pas voulu croire Rob lorsqu'il m'a dit qu'une délégation de ton entreprise était venue superviser le transfert du groupe. Toute la journée, j'ai attendu que tu me rappelles. Comme tu ne le faisais pas, je me suis rendue à l'évidence : tu m'avais trahie.

— *Toute la journée* ? Tu m'épates. Je suis impressionné.

La froideur de son ton et l'ironie contenue dans ses paroles lui infligèrent une nouvelle blessure, encore plus cruelle que les précédentes. Elle ferma un instant les yeux et inspira profondément.

— Tu as gagné, Roman. Toutes mes félicitations.

Comme il se levait de nouveau, elle recula d'un pas. Puis elle tourna les talons et s'enfuit du bureau en courant.

« Quel imbécile ! » songea Roman en se laissant tomber dans son siège.

Pourquoi avait-il laissé cette scène se produire ? Il avait été incapable de retenir Caroline. Par fierté. Cette satanée fierté qu'elle avait osé bafouer. Pourquoi l'avait-il laissée tirer de telles conclusions ? Certes, il était difficile d'en imaginer d'autres. Mais il avait cru que quelque chose de fondamental s'était produit entre eux, sur San Jacinto. Que Caroline n'aurait jamais douté de lui, qu'elle aurait attendu ses explications avant d'imaginer le pire.

Au lieu de cela, sa femme l'avait accusé de trahison. Son jugement avait été sans appel. Alors qu'elle avait déclaré l'aimer, vouloir former une famille avec lui.

Il poussa un long soupir tout en se passant les mains dans les cheveux. A aucun moment, il n'avait imaginé que Caroline quitterait San Jacinto pour venir ici. Il avait commis une lamentable erreur : il aurait dû s'attendre à la voir apparaître. A présent, elle croyait fermement qu'il l'avait séduite puis épousée dans un seul but : s'emparer du groupe Sullivan.

Certes, tel était son objectif au départ. Puis il s'était rendu compte qu'il aimait encore profondément Caroline, qu'il n'avait en réalité jamais cessé de l'aimer. Il avait découvert en elle une âme sœur. Leur entente était formidable, à tous points de vue. Et encore maintenant, alors qu'il bouillait de rage, il avait besoin d'elle, de sa présence. Il la désirait plus que tout au monde.

Mais elle ne voulait plus de lui…

A cette pensée, le chagrin et la colère firent bouillir son sang. Comment pouvait-elle nier la force des sentiments qui les unissaient ? Mais Caroline était capable de tout. Ne le lui avait-elle pas prouvé autrefois en le chassant de sa vie ?

Bien qu'effondré à l'idée de la perdre de nouveau, il décida de reprendre son travail là où il l'avait laissé. Il devait encore consulter des dossiers, signer des papiers. Cette tâche achevée, il rentrerait chez lui et noierait son chagrin dans la vodka.

Seul.

A cette idée, il eut envie de hurler.

« Va la retrouver. Immédiatement. »

Roman secoua la tête pour chasser la voix insidieuse qui exprimait ses désirs les plus profonds. Il devait laisser un temps de réflexion à Caroline et s'en accorder un également.

Il devait se calmer avant d'envisager une nouvelle rencontre. Leur avenir en dépendait. A chaud, tous deux risquaient d'échanger des propos blessants, de prononcer des paroles qu'ils regretteraient après coup.

16.

Allongée sur son canapé, Caroline regardait la télévision sans la voir réellement. La terrible scène qui l'avait opposée à Roman remontait à deux jours et, depuis, elle ne cessait de penser à lui.

La déception et la colère qu'elle avait lues dans ses yeux la hantaient. Elle avait même le sentiment de l'avoir blessé. Mais ne se faisait-elle pas des illusions ? Cherchait-elle à lui trouver des excuses ? L'amour qu'elle lui vouait lui brouillait-il la vue ?

Elle ne parvenait pas à oublier leurs étreintes passionnées, le désir fou que cet homme lui inspirait, le plaisir qu'il savait lui donner, cette entente fusionnelle qui les soudait l'un à l'autre. Roman avait paru heureux, sur l'île. Le rapprochement qui s'était opéré entre lui et Ryan semblait l'avoir comblé de bonheur. Pas assez toutefois pour lui faire abandonner son désir de vengeance…

Oui, elle s'était bercée d'illusions. Chaque fois qu'elle repensait à la réaction de Roman en apprenant que des investisseurs européens venaient au secours du groupe Sullivan, son cœur saignait. Elle avait manqué de bon sens. Après tous les malheurs qui avaient jalonné sa vie ces cinq dernières années, avait-elle vraiment pu espérer des jours meilleurs ?

— Avez-vous l'intention de rester prostrée toute la journée ?

Caroline tourna la tête vers Blake, qui venait de se matérialiser à son côté. En d'autres circonstances, elle aurait plaisanté sur sa tenue : un T-shirt Winnie l'Ourson sur un short trop large.

— Vous allez au parc ? lui demanda-t-elle.

— Oui, dès que Ryan aura choisi les jouets qu'il souhaite emporter. Vous venez avec nous ?

Caroline secoua la tête d'un air las. Depuis leur retour à New York, elle n'avait pas pris la peine de s'habiller et passait ses journées en pyjama.

Ryan apparut à son tour. Son choix s'était porté sur un robot, qu'il serrait sur son cœur.

— Maman, viens jouer avec nous au parc ! Blake dit que nous mangerons une glace.

Elle lui ébouriffa les cheveux et lui sourit malgré son chagrin.

— Non, maman va rester à la maison aujourd'hui. Amuse-toi bien, mon chéri.

Son fils fronça les sourcils.

— Où est M. Roman… je veux dire : papa. J'aimerais bien lui montrer mon robot.

— Il travaille, mais il sera bientôt de retour.

Blake lui jeta un regard noir. Visiblement, il lui reprochait ce mensonge. Mais que pouvait-elle répondre à son fils ? Roman et elle allaient devoir trouver une solution acceptable pour le bien de leur enfant. Pour l'heure, rien n'était réglé.

A l'idée qu'ils soient amenés à se partager la garde de Ryan, des larmes perlèrent à ses paupières. Comment pourrait-elle survivre à la fois à la perte de Roman et à celle de son petit garçon, lorsqu'il la quitterait des week-ends entiers pour passer du temps avec son père ?

Chassant les idées sombres qui l'assaillaient, elle attendit que Ryan et Blake soient sortis de l'appartement pour éteindre la télévision et composer le numéro de sa mère. Elle l'appelait plusieurs fois par jour pour s'assurer que tout allait bien. Contre toute attente, depuis l'annonce fracassante de l'état de son père, la presse n'avait pas harcelé les Sullivan. Bien sûr, quelques photographes rôdaient toujours autour de la maison de ses parents, mais leur nombre baissait. Les articles qui évoquaient l'état de santé de son père n'avaient rien de choquant. Au contraire, ils abordaient la question avec sérieux. A tel point que Caroline s'interrogeait sur ce qu'elle pourrait mettre en œuvre pour soutenir la recherche sur la maladie d'Alzheimer. Même s'il était trop tard pour que son père bénéficie des avancées de la science, d'autres malades pourraient être soignés. Plus elle échangeait sur le sujet avec sa mère, plus son envie de contribuer se développait.

Quand elle raccrocha, elle écouta le silence ambiant. Sans la télévision, sans Blake ni Ryan, la maison lui semblait affreusement vide. Il fallait qu'elle sorte de sa torpeur et se reprenne en main. Baisser les bras devant la fatalité n'était pas dans sa nature, et elle était lasse de se morfondre sur son sort.

Après une douche rapide, elle enfila un jean, une chemise de soie et des sandales. Une fois coiffée, elle se maquilla légèrement et quitta la chambre, satisfaite de son apparence. Enfin, elle retrouvait une allure présentable. Un sourire se dessina sur ses lèvres en songeant à la surprise qu'elle s'apprêtait à faire à Ryan en le rejoignant au parc.

Elle agrippa son sac à main et ouvrit la porte d'entrée. Aussitôt, elle se figea en apercevant une haute silhouette au bas des marches du perron.

— Que veux-tu, Roman ?

— Te parler, répondit-il calmement.

— Très bien. Dis ce que tu as à dire et pars.

— Tu as vu le photographe dans la berline bleue garée de l'autre côté de la rue ? Son appareil est pointé sur nous. Tiens-tu vraiment à parler ici ?

Caroline hésita une seconde, puis elle l'invita d'un geste à la rejoindre. Lorsqu'il fut entré, elle referma la porte derrière lui. Pendant un long moment, ils se dévisagèrent en silence. Le regard de Roman était indéchiffrable.

— J'ai beaucoup réfléchi, dit-il. Mais ma colère à ton égard est toujours aussi vive.

— Ta « colère » ? répliqua-t-elle d'une voix tremblante. Ce n'est pas moi qui t'ai trahi, que je sache !

— Si, tu l'as fait, répondit-il calmement en avançant vers elle.

Caroline tourna vivement les talons pour gagner le séjour.

— Je ne vois pas de quoi tu parles. Tu dis n'importe quoi.

— Vraiment ? Tu as prétendu m'aimer. Or, tu as menti.

— Comment oses-tu…

— J'ose parce que c'est vrai, coupa-t-il. Si tu m'avais aimé, tu ne m'aurais pas prêté d'aussi mauvaises intentions. Tu m'aurais au moins laissé une chance de t'expliquer la situation au lieu de m'accuser de trahison.

— Mais… je te l'ai laissée cette chance ! Je t'ai appelé plusieurs fois, ce jour-là.

— Tu ne m'as pas fait confiance.

— Comment oses-tu te présenter chez moi et me dire des choses pareilles ? murmura-t-elle, anéantie.

Après un long silence, Roman sortit une enveloppe de sa poche et la jeta à ses pieds.

— Qu'est-ce que c'est ? demanda-t-elle.

— Regarde par toi-même.

Après un moment d'hésitation, elle se baissa pour ramasser l'enveloppe. Totalement déboussolée, elle interrogea Roman du regard.

— Ouvre.

A contrecœur, elle s'exécuta. A mesure qu'elle prenait connaissance des documents qu'elle avait sortis de l'enveloppe, son sang se figeait un peu plus.

— Tu… tu ne détiens pas le groupe Sullivan, finit par balbutier Caroline.

— En effet.

— Mais je pensais…

— Je sais ce que tu pensais. Tu avais tort.

— Pourquoi ne pas me l'avoir dit avant ? s'écria-t-elle.

— Quand ? Le jour où tu es venue m'accuser de t'avoir séduite et de t'avoir menti pour te voler ton héritage ?

Caroline hocha la tête, la gorge serrée.

Elle regarda Roman tandis qu'il passait une main nerveuse

sur les bas de son visage. Lui d'ordinaire si imperturbable, si imposant, semblait avoir très peu dormi ces derniers jours. Des épis s'étaient formés dans ses cheveux, ses yeux étaient cernés.

— Tu m'as complètement assommé avec tes accusations, reprit-il, et je n'ai pas réagi comme il fallait. Par ailleurs, au moment où tu es arrivée, j'étais encore, techniquement parlant, à la tête du groupe Sullivan. J'étais en train de résoudre la situation.

En proie au vertige, Caroline se laissa tomber sur le canapé. Ses jambes ne la portaient plus. Elle peinait à croire ce qu'elle venait d'entendre. Pouvait-elle se fier à la lueur d'espoir qu'elle venait d'entrevoir ?

— Pourquoi ne pas avoir répondu à mes appels ce jour-là ?

— Je regrette de ne pas l'avoir fait, admit Roman d'un air las. J'étais en réunion lorsque tu as cherché à me joindre la première fois. Quand j'ai su que tu avais appris la nouvelle du retrait des investisseurs, j'essayais de trouver une solution. L'état de santé de ton père les avait refroidis. Je tentais de les convaincre de ne pas renoncer à cette opération. Je voulais attendre d'avoir une bonne nouvelle à t'annoncer avant de te contacter. Je n'ai pas imaginé une seconde que tu ferais le voyage jusqu'à New York.

— J'aurais aimé que tu me dises tout cela…

— Honnêtement, qu'aurais-tu fait ? Serais-tu restée sur San Jacinto à m'attendre ou aurais-tu pris le premier avion pour New York ?

— Je ne serais pas restée là-bas, avoua-t-elle.

— C'est la raison pour laquelle je ne t'ai rien dit.

Toujours aussi perplexe et perdue, elle reprit la lecture du document. Le groupe Sullivan n'avait pas changé de mains. Grâce à l'intervention généreuse de Roman, Caroline demeurait à la tête des magasins qui faisaient la fierté de sa famille depuis si longtemps.

Soudain, elle se rappela le costume que portait Roman le jour où il s'était absenté de longues heures de la villa.

— C'est toi qui avais trouvé ces nouveaux investisseurs européens, n'est-ce pas ?

— *Da*. Le président d'une grande société financière séjournait sur San Jacinto à ce moment-là. J'avais obtenu un rendez-vous avec lui.

— Pourquoi… Pourquoi t'es-tu donné autant de mal ? demanda-t-elle, les larmes aux yeux.

— Parce que je voulais que tu gagnes.

— Pourtant, il n'y a pas si longtemps, tu voulais que je perde.

— Les choses avaient évolué entre-temps.

— Qu'est-ce qui avait changé ?

A son grand étonnement, elle le vit fermer les yeux et prendre une grande inspiration, comme s'il cherchait à se donner du courage.

— J'ai compris que je t'aimais, Caroline, que la vie sans toi serait trop sombre, trop triste. Je voulais te voir heureuse et pour ça j'aurais été capable de tout, même de renoncer à l'empire que j'ai bâti.

Caroline se replia sur elle-même, honteuse. Une fois de plus, elle avait tout gâché.

— Comment peux-tu encore m'aimer avec tout ce que je t'ai fait subir ? Après mes odieuses accusations ?

— Je suis encore en colère contre toi. Mais on ne peut cesser d'aimer quelqu'un parce qu'il vous fait souffrir. Si tel était le cas, ce ne serait pas de l'amour.

A ces mots, elle cessa de lutter contre la peine qu'elle ressentait. Des larmes se mirent à ruisseler sur son visage.

— Je suis désolée, Roman. J'aurais dû t'accorder une chance. J'étais profondément malheureuse. L'idée que tu ne partages pas l'amour que j'éprouvais pour toi m'était intolérable. Quand la nouvelle de la maladie de mon père a été connue de tous, j'ai imaginé le pire…

Roman demeura silencieux. Du regard, il l'encouragea à poursuivre ; ce qu'elle fit :

— Je n'ai connu qu'une succession de malheurs dans

ma vie. J'ai perdu de nombreuses personnes que j'aimais : toi, Jon, mon père… J'ai cru que je te perdais de nouveau.

— Mon amour, murmura Roman en lui ouvrant les bras.

D'un bond, elle quitta le canapé pour se blottir contre lui.

— Je suis désolé, *lyubimaya moya*, dit-il en la serrant contre lui. J'aurais dû t'avouer ce que je ressentais pour toi. J'aurais dû aussi te révéler mes intentions.

— Tout est ma faute, gémit-elle en nichant la tête dans son cou. Je n'aurais jamais dû douter de toi.

Il lui releva le menton pour déposer un doux baiser sur ses lèvres.

— Nous avons commis des erreurs tous les deux. Ni toi ni moi ne sommes parfaits.

Caroline parvint à sourire malgré ses larmes.

— Nous nous sommes comportés comme des idiots.

— Oui, mais je voulais que tu gagnes. C'était important pour toi.

— Pendant cinq ans, j'ai souffert de ton absence. Il ne se passait pas une seule journée sans que je pense à toi. Tu sais, si j'avais perdu le groupe Sullivan, je n'en aurais pas souffert si j'avais eu la certitude de t'avoir à mes côtés. Quand je suis venue te retrouver au siège de la société, l'autre jour, je croyais avoir perdu ce qui comptait le plus à mes yeux : toi.

— Je suis là, Caroline. Je t'aime, j'aime notre enfant. Tu m'as manqué durant cinq ans. Je ne veux plus perdre une minute.

— J'ignore comment tu peux m'aimer après tout ce qui s'est passé, mais je suis heureuse de te l'entendre dire.

Roman s'assit sur le premier siège à sa portée et attira Caroline sur ses genoux. Tendrement, il lui caressa le visage du bout des doigts, effleurant ses lèvres, son cou délicat.

— Je t'aime parce que je ne peux pas faire autrement. J'éprouve ce sentiment depuis la première fois où mes yeux se sont posés sur toi, il y a des années de cela. Tu es une jeune femme fière et déterminée. Tu as été capable de mettre ta vie entre parenthèses pour le bien de ta famille. Peu de gens se seraient sacrifiés de la sorte. Comment pourrais-je ne pas aimer une personne aussi dévouée que toi ? Quoi qu'il en soit, même si je ne t'admirais pas autant, je t'aimerais quand même. Tu m'es aussi indispensable que l'air que je respire. Je serais incapable de vivre sans toi, désormais.

Caroline prit le visage de Roman entre ses mains et lui sourit. Malgré les larmes qui lui brouillaient la vue, une joie intense inondait son cœur, qui battait follement dans sa poitrine.

— Tu es un homme étonnant. Je crois que tu devrais m'emmener dans la chambre, car j'ai beaucoup de choses à me faire pardonner.

— Tu es tout excusée, mon amour.

Sur ces mots, il se leva et, entraînant Caroline à sa suite, il grimpa les marches qui menaient à la chambre.

Epilogue

Le groupe Sullivan affiche des bénéfices prodigieux grâce à son P.-D.G. : Caroline Kazarov.

Elle est enceinte, c'est confirmé ! Caro resplendissante, Roman radieux !

Les Kazarov ont fêté leur premier anniversaire de mariage dans un restaurant. Ils ne se sont pas quittés des yeux.

Amusée, Caroline consultait distraitement depuis la terrasse de la villa de San Jacinto les journaux que Blake lui avait envoyés depuis New York. Elle souriait à la lecture des gros titres qui lui tombaient sous les yeux.

L'époque tragique où la maladie de son père avait été révélée au monde entier était révolue ; Roman avait réussi à découvrir l'origine de la fuite : un aide-soignant que sa mère avait congédié suite à des vols s'était vengé en vendant des informations à la presse. L'homme avait touché une coquette somme, qu'il s'était empressé de dilapider dans un casino d'Atlantic City. Ce n'était que justice. Caroline n'éprouvait aucune compassion pour les individus qui profitaient de la détresse des autres.

Soudain, elle ébaucha une grimace en posant une main sur son ventre. Le bébé qu'elle portait s'en donnait à cœur joie. A ce moment-là, Roman pénétra dans la pièce.

— Que se passe-t-il, *solnyshko* ? demanda-t-il en voyant ses sourcils froncés. Tout va bien ?

— Oui, ne t'inquiète pas. Je crois que notre fille s'entraîne à la boxe.

— Pas de doute, elle tient de toi.

Roman éclata de rire et vint s'asseoir sur la banquette à son côté.

— Tu es une battante, Caroline. Je n'ai jamais connu une personne aussi déterminée que toi.

— Tu exagères ! Je crois que, sur ce point-là, tu me ressembles beaucoup.

— Je te le concède. Disons alors que notre fille tient de nous deux.

— Dans ce cas, elle sera formidable.

— Comme sa mère !

Caroline esquissa une grimace.

— En ce moment, je me sens plutôt grosse et laide. Qui plus est, je meurs de faim !

— Ne dis pas de bêtises. Tu es magnifique, mon amour. Veux-tu que j'aille te chercher de quoi grignoter ? Je crois qu'il reste du poulet dans le réfrigérateur.

— Hum… non, je me contenterai d'un fruit. Une banane ou une mangue.

— Comme tu voudras.

Caroline regarda son mari disparaître dans la maison. Elle se sentait merveilleusement bien auprès de lui, heureuse comme jamais elle ne l'avait été auparavant. Leur mariage remontait à un an, et pourtant elle avait l'impression que leur voyage de noces se poursuivait encore.

Seule ombre au tableau : l'état de santé de son père, qui se dégradait de jour en jour. Caroline reversait désormais une partie des profits de sa société à la recherche. Un jour peut-être, les patients atteints de la maladie d'Alzheimer recevraient un traitement leur permettant de vivre décemment. Hélas, son père n'en bénéficierait pas. Aujourd'hui, il était placé dans une institution spécialisée et sa mère apprenait à vivre seule.

— Ta mère m'a appelé aujourd'hui, lui apprit Roman, de retour avec une mangue soigneusement épluchée.

Comme Caroline écarquillait les yeux, il ajouta en riant :

— Eh oui, tout arrive ! Elle m'a appelé pour m'annoncer sa visite. Je crois qu'elle commence à m'apprécier.

— Tu sais y faire avec les femmes. C'est probablement dû à ton accent russe si sexy.

Il lui adressa un clin d'œil avant de répondre.

— Qui sait ?… Quoi qu'il en soit, elle voulait s'assurer que tu te reposais suffisamment et que tu prenais tes vitamines. Je l'ai rassurée sur ce point.

— Je crois que son intérêt pour ma santé n'était qu'un prétexte pour te parler. Elle aurait pu m'appeler directement. T'a-t-elle dit autre chose ?

— Pas vraiment. Elle envisage une visite, c'est tout. Au fait, comment se porte Blake, ces temps-ci ?

— Il s'est remis à peindre, répondit Caroline avec un grand sourire. Et il a un petit ami. Je suis vraiment heureuse pour lui, même s'il me manque beaucoup.

— Je suis content qu'il reprenne goût à la vie. Remonter la pente lorsque l'on a perdu une personne aimée est difficile. Moi aussi, je regrette son absence. La nouvelle nounou de Ryan est beaucoup moins drôle.

— C'est vrai, admit Caroline en riant. Et elle est plus âgée que Blake. Mme Steele ne fera jamais de surf avec Ryan ou de jogging sur la plage, mais elle nous sera d'une grande aide quand notre petite Claire nous réveillera toutes les nuits. Elle nous soulagera beaucoup, tu verras.

— Je te crois, mon amour, dit Roman en se rasseyant à côté d'elle.

Il avisa les coupures de journaux qu'elle consultait avant son arrivée.

— Ces torchons disent la vérité pour une fois, déclara-t-il. Nous sommes heureux !

— Oui, plus que jamais.

Roman passa un bras autour des épaules de sa femme, puis il reporta son attention sur la plage, où Ryan jouait dans les vagues sous la surveillance de sa nouvelle nounou. Lorsqu'il leva les yeux vers eux, son fils courut dans leur direction avant de déposer un monceau de coquillages à leurs pieds. Puis, comme à son habitude, il se mit à raconter ses multiples exploits de la journée, encouragé par les « ah ! » et les « oh ! » admiratifs de ses parents, qui le couvaient d'un regard plein d'amour.

Ne manquez pas, dès le 1er juin

***POUR UNE NUIT DE PASSION**, Heidi Rice • N°3475*

Puisque Nick Delisantro ignore toutes ses tentatives pour le joindre, Eva a décidé de passer au plan B : ce soir, elle se rendra au vernissage auquel il doit assister, et lui parlera. Car, après des mois de recherches pour retrouver le dernier héritier du comte De Rossi, le vieil homme pour lequel elle travaille, elle entend bien obtenir un rendez-vous. Mais, si elle sait tout, ou presque, de l'histoire familiale de Nick, Eva n'était pas préparée à affronter son charme ténébreux. Incapable de résister au désir fou qu'il lui inspire immédiatement, elle s'abandonne, entre ses bras, à une nuit de passion. Mais, au matin, Eva sent la panique l'envahir : c'est non seulement son emploi qu'elle vient de mettre en péril, mais aussi son cœur...

***LA BRÛLURE D'UN BAISER,** Lindsay Armstrong • N°3476*

Depuis toujours, Mia sait que le monde est divisé en deux catégories de personnes : les play-boys richissimes et flamboyants, comme Carlos O'Connor, et les gens comme elle, la fille de la gouvernante, presque invisibles. Un jour pourtant, il y a cinq ans, Carlos a posé les yeux sur elle. Et Mia n'a jamais oublié le désir qui brillait alors dans son regard, ni la douceur de ses lèvres sur les siennes. Mais, persuadée qu'il se lasserait vite d'elle, et terrifiée par les sentiments qu'il lui inspirait, elle a préféré prendre la fuite. Aujourd'hui, hélas, elle pressent que son passé est sur le point de la rattraper. Car la petite agence d'événementiel qu'elle a créée a été choisie pour organiser le mariage de la sœur de Carlos...

***UNE BOULEVERSANTE MÉPRISE**, Michelle Conder • N°3477*

Séjourner dans le plus bel hôtel particulier de Londres, en compagnie du meilleur parti de la ville... qui pourrait croire que cela s'apparente à de la torture pour Lily ? Hélas, non content d'être outrageusement beau, Tristan Garrett est aussi l'homme avec lequel elle a voulu croire, des années plus tôt, à un avenir radieux, avant qu'il ne la bannisse soudainement de sa vie. Aujourd'hui, alors qu'elle a tout perdu, Lily n'a d'autre choix que d'accepter son aide – et son hospitalité... Mais comment supporter, jour et nuit, l'hostilité et le mépris de cet homme qu'elle n'a jamais oublié, mais qui ne fait rien pour lui cacher qu'il ne l'aide qu'à contrecœur ?

UN HÉRITIER POUR LE PRINCE, Lucy Monroe • *N°3478*

Attendre l'enfant du prince Maksim de Volyarus aurait dû être une joie pour Gillian. Maksim n'est-il pas l'amour de sa vie, l'homme qu'elle devait épouser ? C'était du moins ce qu'elle croyait voilà quelques semaines encore, jusqu'à ce jour atroce où les médecins leur ont annoncé qu'elle ne pourrait peut-être pas avoir d'enfant. A la minute même, Maksim a brutalement rompu leurs fiançailles. Dans ces conditions, comment pourrait-elle faire comme si de rien n'était et l'épouser, comme il l'exige maintenant qu'elle porte son héritier ? Car elle sait à présent que leur histoire n'a aucune valeur pour cet homme qui fera toujours passer son devoir avant elle et leur enfant…

LE CHANTAGE D'UN SÉDUCTEUR, Victoria Parker • *N°3479*

Quand elle comprend que l'homme si séduisant qui vient de pénétrer dans son bureau est envoyé par ses parents pour la ramener à Arunthia, Claudia n'a qu'une envie : le mettre à la porte. Sa vie est ici, à Londres, où elle se consacre jour et nuit à un travail qui la passionne, et certainement pas à la cour d'Arunthia, où seule l'attend une vie de devoirs et d'obligations. Mais lorsque Lucas lui propose une importante somme en échange de son retour, Claudia sent sa résolution vaciller. N'a-t-elle pas terriblement besoin de cet argent pour mener à bien le projet qui lui tient tant à cœur ? La mort dans l'âme, elle se résout à céder au chantage de cet homme dont la proximité la trouble profondément, et à le suivre, pour trois semaines, à Arunthia...

AU PIÈGE DE LA TENTATION, Cathy Williams • *N°3480*

Dès qu'elle s'est installée à la campagne, Heather s'est prise d'amitié pour Daniel, le petit garçon qui vit avec sa grand-mère dans la maison voisine. Elle imagine bien le genre d'homme que doit être Leonardo West, le père de l'enfant : un homme entièrement dévoué à ses affaires, riche, puissant et sans cœur. Aussi, quand elle le rencontre enfin, n'hésite-t-elle pas à lui dire vertement ce qu'elle pense de sa conduite. Mais quand Leonardo lui demande, quelque temps plus tard, de s'occuper de son fils, Heather sent la panique l'envahir. Si elle n'a pas le cœur d'abandonner le petit garçon à son sort, elle n'en est pas moins convaincue qu'elle doit se tenir à distance de Leonardo et des sentiments brûlants qu'il éveille en elle, en dépit de toute raison.

LA FIANCÉE INTERDITE, Sharon Kendrick • *N°3481*

Francesca ? Comment la petite sauvageonne qui grimpait aux arbres a-t-elle pu se métamorphoser en cette femme envoûtante ? Et, surtout, que fait cet imposant diamant à son doigt ? Zahid refuse de croire que celle qui n'était hier encore qu'une adolescente puisse être aujourd'hui fiancée. Mais son étonnement n'est rien face à la colère qu'il ressent en découvrant celui qu'elle doit épouser, un homme vil et intéressé. Pour empêcher ce mariage, Zahid décide de tout faire. Sans pouvoir se défaire d'un désagréable sentiment : ne se ment-il pas à lui-même en prétendant agir pour le bien de Francesca ? Car la voir fiancée à un autre éveille en lui un élan possessif et primaire. Un élan auquel il ne peut céder : en tant que cheikh de Khayarzah, il se doit entièrement à son pays et à son peuple...

Composé et édité par les

éditions HARLEQUIN

Achevé d'imprimer en avril 2014

La Flèche

Dépôt légal : mai 2014

Imprimé en France